Colette Samson

Amis 3

et compagnie

Livre de l'élève

CLE
INTERNATIONAL

www.cle-inter.com

Ma vie et ma famille

1 📢 Écoute et regarde ! Puis raconte l'histoire !

Image 1
Max : Salut, Théo ! Toi, tu as l'air fâché...
Théo : Ça ne va pas du tout : ma petite sœur Joséphine est arrivée au collège. C'est une vraie peste !

Image 2
Théo : Et puis, il y a « le nouveau »...
Stanislas : Bonjour les filles ! Moi, c'est Stanislas. Appelez-moi Stan !
Agathe : Bonjour Stan...

Image 3
Léa : Elle, c'est Agathe et moi, je m'appelle Léa. On a fait une super vidéo sur les *Misérables*...
Stanislas : Ah oui ? ... Victor Hugo, c'est pas mal. Mais Maupassant, c'est autre chose...

Image 4
Agathe : Maupa... qui ?
Stanislas : Guy de Maupassant : c'est un écrivain très célèbre. Il a écrit des contes et des nouvelles... fantastiques ! Tenez, je vous prête mon livre. Vous me le rendez demain, d'accord ?

Image 5
Stanislas : Vous, vous avez vraiment besoin d'un « coach » !
Joséphine : D'un quoi ?
Stanislas : ... de quelqu'un pour vous aider à exprimer vos idées, vos passions... Bon, à demain, n'oubliez pas le livre...

2 📢 Les pronoms toniques → Complète d'abord à l'oral ! Puis écoute le CD pour vérifier tes réponses !

– C'est **...** Joséphine, la sœur de Théo ?
– Oui, c'est *moi* ! Cette année, je suis dans le collège de mon frère : **...** , j'adore, mais **...** , il n'a pas l'air content !
– Mais chez **...** , comment ça se passe entre vous ?
– Entre **...** ? Pour **...** , je suis encore une petite fille. Il ne veut jamais jouer avec **...** .
– Et **...** , tu les connais ?
– Oui, bien sûr. Agathe et Léa sont des copines. Agathe fait des photos. Léa, **...** , elle lit beaucoup.
– Et **...** , c'est le nouveau ?
– Oui, il s'appelle Stanislas. Il est merveilleux ! Théo et Max, **...** , ils sont vraiment horribles !

Pronoms toniques	
je	→ moi
tu	→ toi
il	→ lui
elle	→ elle
nous	→ nous
vous	→ vous
ils	→ eux
elles	→ elles

Écoute et observe bien !

le père	la mère	les parents
le beau-père	la belle-mère	les beaux-parents
le frère	la sœur	
le demi-frère	la demi-sœur	
le beau-frère	la belle-sœur	
l'oncle	la tante	
le neveu	la nièce	
le cousin	la cousine	
le grand-père	la grand-mère	les grands-parents
le petit-fils	la petite-fille	les petits-enfants

Salut ! Je m'appelle Stanislas. J'ai 14 ans. J'habite avec ma mère : mes parents sont divorcés. J'ai un frère et une demi-sœur. Mon frère est déjà marié, mais ma sœur non : elle est encore célibataire... Mon oncle est veuf. Ma tante est morte il y a deux ans. Ah, j'ai oublié : mon nom de famille, c'est *Martin* ; c'est le nom le plus commun en France !

Maintenant prépare la présentation de ta famille (réelle ou imaginaire) !

Réponds aux questions en t'aidant du vocabulaire et du texte de Stanislas puis présente ta famille à ton voisine ou à ta voisine !

Comment s'appellent tes parents ? ... Tu es fils (fille) unique ? ... Tu as des frères et sœurs ? ... Ils ont quel âge ? ... Tu t'entends bien avec eux ? Tu as des grands-parents ? ... Ils habitent où ? ... Tu as des cousins, des cousines ? ... etc.

divorcés (*ou* séparés)
veuf (veuve) / mort(e)
marié(e) / célibataire

4 Les noms de famille

En France, comme dans d'autres pays, les noms de famille peuvent avoir différentes origines, par exemple :

■ le nom d'un lieu : Monsieur Dupont, Madame Dubois
■ le nom d'une région : Mademoiselle Lenormand
■ un prénom : Famille Lucas, Madame Bernard
■ un animal : Mademoiselle Lecoq
■ un métier : Monsieur Boulanger
■ un aspect physique : Monsieur Petit, Zoé Lebrun

Range les noms de famille dans la bonne catégorie !

5 Fais des recherches avec ton voisin ou ta voisine et réponds aux questions !

1 Le nom de famille le plus commun en France c'est *Martin*. Et dans ton pays, c'est lequel ? ... Tu connais l'origine de ce nom ? ... Explique ! ...

2 Tu connais d'autres noms de famille français ? Lesquels ? ... Qui porte ces noms ? Des chanteurs ? Des acteurs ? Des sportifs ?

Ma vie et ma famille

1 🎧💬 **Écoute et repère les métiers de la famille de Stanislas ! Puis présente-les ! Tu as deux écoutes !**

Exemple : Le père de Stanislas est producteur de cinéma. (...) Et Stanislas, lui, il est « coach » !

Noms de métiers

en –e : féminin → –e

détective	détective
journaliste	journaliste
photographe	photographe
pilote	pilote

en –teur : féminin → –trice

animateur	animatrice
illustrateur	illustratrice
organisateur	organisatrice
producteur	productrice

2 💬👥 **Écoute et associe avec la bonne image ! Tu as deux écoutes ! Exemple : A-1**

Noms de métiers

en –er : féminin → –ère

boulanger	boulangère
infirmier	infirmière
policier	policière

en –eur : féminin → –euse

coiffeur	coiffeuse
danseur	danseuse
footballeur	footballeuse

en –ien : féminin → –ienne

informaticien	informaticienne
musicien	musicienne
pharmacien	pharmacienne

3 💬 **Présente à la classe plusieurs personnes de ta famille (réelle ou imaginaire) et leur métier !**

Utilise les noms vus plus haut et aussi d'autres noms pris dans la liste ci-dessous :

agriculteur – archéologue – architecte – astronome – chimiste – comédien – créateur de jeux vidéo – cuisinier – diplomate – documentaliste – électricien – entraîneur sportif – explorateur – fleuriste – graphiste – jardinier – maquilleur – mécanicien – médecin – pompier – professeur – secrétaire – serveur – styliste – technicien – vendeur – vétérinaire, etc.

Exemple : Mon grand-père est cuisinier. Ma cousine est créatrice de jeux vidéo. Mon frère n'a pas de travail, il est au chômage. Ma mère est femme au foyer, etc.

4 🎧💬 **Phonétique → Les sons [œ] et [ɛ] : Écoute et répète ! Puis chante le rap !**

Ma mère est infirmière, ma sœur est professeur et mon frère est footballeur...

Ma vie et ma famille

PROJET : SE PRÉSENTER SUR SON BLOG

1 Lis d'abord le texte et remplace ✳✳✳ par *tout*, *toute*, *tous* ou *toutes* ! Puis écoute le CD pour vérifier ! Présente ensuite Lucia !

Grande-Terre

Basse-Terre

Salut ✳✳✳ le monde ! Je me présente : je m'appelle Lucia et je vais avoir 15 ans. Je suis née en Guadeloupe, dans les Antilles françaises. La France, ce n'est pas que l'Hexagone*, c'est aussi ✳✳✳ les départements et les territoires d'outre-mer ! La Guadeloupe, avec ses deux « ailes », la Grande-Terre et la Basse-Terre, ressemble à un papillon !

Je n'habite pas avec mes parents. Ils travaillent ✳✳✳ l'année en France, dans l'Hexagone. Je vis avec mon oncle, ma tante et mon petit cousin. Mon oncle est technicien et ma tante est secrétaire. Yaël, mon cousin, m'énerve un peu, il bouge ✳✳✳ le temps, mais on s'entend bien ✳✳✳ les deux. Je vois ✳✳✳ les jours mes grands-parents. On va manger chez eux ✳✳✳ les soirs : ma grand-mère fait très bien la cuisine !

Ma passion, c'est la nature : j'adore les oiseaux ; j'aimerais être ornithologue. Je vais ✳✳✳ les semaines dans une association ornithologique, Amazona. Ils organisent des sorties découvertes ✳✳✳ les mois pour aller observer des colibris ou des hérons. Mon autre passion, c'est la fête ! Ma fête préférée, c'est le carnaval. Il y a des concours de costumes, de la musique et des chansons ; et on danse ✳✳✳ la journée ! »

2 Complète à l'oral les informations qui manquent sous les photos puis présente Lucia, sa famille et ses passions !

Mon **...**, Jean, est **...** .
Ma **...**, Betty, est **...** .
Lui, c'est mon petit **...** .
Il s'appelle **...** .

tout le monde
tous les deux
tout le temps
toute la journée
tous les mois
toutes les semaines

Une des spécialités de ma **...** : le colombo !

Un paysage de mon pays, la **...** dans les **...** .

Ma **...** préférée : le **...** !

Des oiseaux à protéger : le **...** et le **...**

3 Raconte ta vie, ta famille, tes passions et réalise ton « blog » sur ce modèle !

1 Prends ou fais prendre des photos de toi, de ta famille, ainsi que des photos d'un lieu, d'un plat, d'une activité ou d'une fête que tu aimes !

2 Rédige un texte de présentation.

3 Mets le texte et les photos sur ton blog ou la page web de ton collège, ou bien fais une affiche à exposer dans la classe !

*L'Hexagone = *La France métropolitaine (à cause de la forme de la carte de France qu'on peut inscrire dans un polygone à six côtés, un hexagone)

Mon oncle Jules*

Écoute et regarde ! Puis mets l'histoire en scène avec tes camarades !

1

Bonjour, oncle Jules !

Bonjour, mon neveu ! Ton père est là ?

2

Bonjour, Jules !

Bonjour, mon frère ! Bonjour, chère belle-soeur ! Voilà... Je vais partir en Amérique : je suis au chômage et je voudrais trouver du travail là-bas...

3

Mais, il me faut de l'argent pour le voyage et pour les premiers mois...

Tu veux combien ?

4

Tu peux me prêter... 50 000 francs ?

Nous sommes désolés, ce n'est pas possible !

5

Je vais vous rendre cet argent très vite, ne vous inquiétez pas... Aidez-moi, j'ai besoin de vous !

Bon, d'accord...

6

Une semaine plus tard...

Au revoir, oncle Jules ! Bonne chance !

7

Six mois plus tard...

J'ai trouvé du travail chez un boulanger. Je vais bientôt pouvoir vous rendre votre argent...

8

Deux ans plus tard...

Enfin une lettre de l'oncle Jules !

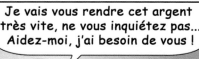

9

Mon cher frère ! Je vais bien. Je pars demain pour un long voyage à travers l'Amérique. Je ne vais pas donner de mes nouvelles pendant plusieurs années. Mais ne soyez pas inquiets...

Dix ans plus tard...

Les affaires vont bien. Je reviens peut-être bientôt en France. Nous allons enfin vivre heureux ensemble !

Jules

10

Avec notre argent et l'argent de Jules, nous pourrions acheter cette maison ?

Maison à vendre

11

12

Et nous pourrions acheter ces jolies robes ?

Et nous pourrions tout de suite faire un petit voyage en bateau ?

LE HAVRE - JERSEY

13

14

Regarde ! Il ressemble à Jules ! ... C'est lui ?

15

Ce vieil homme, c'est qui ?

16

Ce vagabond ? Je l'ai trouvé en Amérique il y a un an. Il s'appelle Jules. Il a de la famille en France, mais il ne veut pas retourner les voir parce qu'il leur doit de l'argent, ah ah !

17

18

C'est donc oncle Jules, le frère de papa ? Mon oncle Jules ?!

---

*D'après le conte de Guy de Maupassant (1883)

Unité  1 On récapitule !

Communication

Tu as révisé comment...

■ **saluer :**
Salut ! Bonjour, chère belle-sœur !

■ **dire ton âge :**
Moi, j'ai 14 (quatorze) ans.

■ **présenter ta famille, tes amis :**
J'ai un frère et une demi-sœur.
Elle, c'est Agathe.

■ **demander et exprimer un sentiment :**
Tu as l'air fâché ? – Ça ne va pas du tout.

■ **exprimer tes goûts, tes préférences :**
J'adore les oiseaux.
Ma fête préférée c'est le carnaval.

■ **exprimer ton désir de faire quelque chose :**
J'aimerais être ornithologue.
Nous pourrions faire un petit voyage en bateau ?

■ **demander de l'aide :**
Aidez-moi, j'ai besoin de vous !

■ **parler d'une action dans un futur proche :**
Je vais vous rendre cet argent.

■ **suggérer quelque chose :**
Vous, vous avez besoin d'un « coach » !

Tu sais maintenant...

■ **te présenter :**
Salut, tout le monde !
Je me présente. Mon nom de famille, c'est *Martin*.

■ **parler du métier de tes proches :**
Mon grand-père est cuisinier.
Mon père est producteur de cinéma.
Mon frère est au chômage.

■ **refuser une demande :**
Je suis désolé(e), ce n'est pas possible !

Vocabulaire

Famille

le beau-frère	la cousine	les grands-parents (*m. pl.*)	le père
le beau-père	le demi-frère	la mère	la petite-fille
les beaux-parents (*m. pl.*)	la demi-sœur	le neveu	le petit-fils
la belle-mère	le frère	la nièce	les petits-enfants (*m. pl.*)
la belle-sœur	la grand-mère	l'oncle (*m.*)	la sœur
le cousin	le grand-père	les parents (*m. pl.*)	la tante

Noms de métiers

l'animateur (*f.* –trice)	le (la) détective	l'informaticien (*f.* –ienne)	le pharmacien (*f.* –ienne)
le boulanger (*f.* –ère)	le footballeur (*f.* –euse)	le (la) journaliste	le (la) photographe
le coiffeur (*f.* –euse)	l'illustrateur (*f.* –trice)	le musicien (*f.* –ienne)	le (la) pilote
le danseur (*f.* –euse)	l'infirmier (*f.* –ère)	l'organisateur (*f.* –trice)	le policier (*f.* –ère)

Noms, verbes, adjectifs et adverbe

célibataire	la femme au foyer	la peste	ressembler à qqun
le chômage	l'hexagone (*m.*)	se présenter	veuf / veuve
divorcé(e)	marié(e)	prêter qqch. à qqun	le voyage
s'entendre	la passion	rendre qqch. à qqun	vraiment

Grammaire

Les pronoms toniques

moi, toi, lui, elle, nous, vous, eux, elles
Ils sont utilisés après c'est :
C'est **toi** la sœur de Théo ? Oui, c'est **moi** !
Ils servent à renforcer le sujet :
Lui, il n'a pas l'air content.
Ils s'utilisent après une préposition :
Pour **lui**, je suis encore une petite fille.

Le conditionnel présent

Il exprime, par exemple :
– *une suggestion :* Nous pourrions acheter cette maison ?
– *un souhait :* J'aimerais être ornithologue.
– *une demande polie :* Tu pourrais me prêter de l'argent ?

L'adjectif indéfini *tout, toute, tous, toutes*

Il exprime un ensemble et peut avoir le sens de entier, entière.
Salut, **tout** le monde ! On danse **toute** la journée.
Au pluriel, il peut marquer la périodicité :
Tous les jours, **toutes** les semaines, **tous** les mois, **tous** les ans, etc. (= *une fois par jour, par semaine, par mois, par an, etc.*)

Les noms de métiers

Pour parler du métier de quelqu'un, on **n'**utilise **pas** *l'article indéfini un/une :*
Il est styliste. Elle voudrait être informaticienne.

Phonétique

Les sons [œ] et [ɛ]

Stratégies

Pour mieux apprendre une liste de mots…

■ Recopie les mots par ordre alphabétique et/ou regroupe-les par « formes graphiques », par exemple : *informati**cien**, mécani**cien**, pharma**cien**, techni**cien**, etc.*
■ Recopie les mots masculins d'une couleur et les mots féminins d'une autre : *l'oiseau – l'eau*
Utilise une troisième couleur pour les mots qui te paraissent « difficiles » : *ornithologue*
■ Recopie les mots dans un cahier en supprimant leurs voyelles. Puis teste-toi quelques jours plus tard :
v_nd_ _ r ; _l_ctr_c_ _ _ ; p_l_t_ : *vendeur, électricien, pilote,* etc.

Culture et civilisation

La France d'outre-mer

Martinique : course de yoles

Guyane : une tortue-luth

La Réunion : le volcan du Piton
de la Fournaise

Polynésie française : un lagon

**Trouve ces « départements et territoires »
sur la carte à la fin du livre !
Où est-ce que tu aimerais aller ?
Explique pourquoi ?**

On y va !

1 Écoute et regarde ! Quelle est l'idée de Léa ? Que propose Agathe ? Explique !

Image 1

Agathe : Stan nous a prêté un livre de Maupassant. Il y a des contes fan-tas-tiques !

Image 2

Léa : On pourrait en faire un spectacle avec des chansons, des tours de magie, des jeux de lumière, des photos, des décors magnifiques. On irait le montrer partout en France... à Lille, à Lyon et même au... Festival d'Avignon !

Image 3

Théo : Hé, Léa ! Réveille-toi, tu es en plein délire ! D'abord, qui va faire ce spectacle ?

Agathe : Nous tous : toi à la musique, bien sûr, Max aux décors, moi aux lumières et Léa, euh... aux tours de magie ?!

Image 4

Max : On partirait quand ?

Léa : On peut déjà partir à Lille le week-end prochain pour repérer les lieux. Ensuite on partirait pendant les vacances d'automne et celles d'hiver ; puis pendant les vacances de printemps...

Agathe : ...jusqu'aux vacances d'été pour le Festival d'Avignon, en juillet !

Image 5

Théo : Et... on partirait comment ?

Stanislas : En ballon !

Image 6

Stanislas : Ah ! Voler, plus léger que l'air, au-dessus des champs, des forêts, des villes... C'est plus romantique que le train, non ?

2 Écoute et lis ! Puis réponds aux questions !

La France (métropolitaine) a un climat tempéré et... **quatre saisons** : elles rythment le calendrier scolaire. La rentrée des élèves se fait à la fin de l'été, début septembre. Les « vacances de la Toussaint » ont lieu en automne et durent dix jours environ. Fin décembre c'est le début de l'hiver et des « vacances de Noël » : les élèves ont alors deux semaines de vacances. Les « vacances d'hiver » leur offrent deux autres semaines de repos en février et les « vacances de printemps » encore deux semaines en avril. Et puis, en juillet, arrivent deux mois de vacances d'été...

La préposition *en*

+ années : *en 1783*

+ mois : *en juillet, en septembre*

+ moyens de transport : *en ballon, en train*

+ pays : *en France, en Italie*

+ saisons : *en été* (mais *au printemps*)

1 Il y a combien de semaines de vacances scolaires en France ? **...** Et combien dans ton pays ? **...**

2 Il y a aussi quatre saisons dans ton pays ? **...** Elles s'appellent comment en français ? **...**

3 Explique le calendrier scolaire de ton pays sur le modèle du texte ci-dessus ! **...**

3 🎧📖🗨 Écoute, lis et présente Julien ! Puis repère les pronoms *y* et *en* : ils remplacent quels mots ?

Bonjour ! Je m'appelle Julien. **Lille**, c'est ma ville et la capitale de la région **Nord-Pas-de-Calais**, à 220 kilomètres de Paris. J'**y** habite avec mes parents et ma sœur. J'aime me promener dans le quartier du *Vieux-Lille* avec ses églises, sa cathédrale et ses vieilles maisons. Le centre de Lille, c'est la « *Grand' Place* » avec la *Vieille Bourse* et de nombreux restaurants et magasins. J'**y** retrouve souvent mes copains et mes copines. Mais pour voir Lille, le mieux c'est de monter les 104 mètres et 420 marches de la tour (du beffroi) de l'hôtel de ville !

En septembre, il y a la *Braderie* : c'est un très grand marché aux puces ! J'**y** découvre de vrais trésors, j'**y** achète mes jeux vidéo et j'**y** vends aussi mes vieux CD. Je vais aussi **y** manger des *moules-frites* : c'est le plat traditionnel de cette fête. Le soir, on **en** sort fatigué, mais on **en** repart avec plein de souvenirs !

Lille : la Braderie sur la Grand'Place

> **Les pronoms compléments de lieu *y* et *en***
> *y* : J'y suis, j'y vais (lieu, destination).
> *en* : J'en viens, j'en sors (provenance).

4 📖🗨 Complète à l'oral avec les pronoms compléments de lieu *y* ou *en* !

Exemples : Tu vas à la fête ? – Oui, j'**y** vais ! / Tu es allé(e) à la *Braderie* ? – Oui, j'**en** sors !

1 Tu restes à Lille combien de jours ? – J' **...** reste trois jours.

2 Tu vas voir la cathédrale ? – Oui, j' **...** vais !

3 Tu vas à l'hôtel de ville ? – Non, j' **...** viens !

4 Tu retournes à la *Grand' Place* ? – Oui, j' **...** retourne !

5 Tu as visité la *Vieille Bourse* ? – Oui, j' **...** viens !

6 Tu entres dans le magasin ? – Non, j' **...** sors !

5 🎧📖🗨 Écoute et lis ! Puis choisis une activité et explique la raison de ton choix à ton voisin ou à ta voisine !

Exemple : J'aimerais faire une promenade à cheval (dans les forêts de Picardie) parce que j'aime la nature, le sport et l'aventure !
Le nord de la France, c'est aussi la **Picardie**. Tu aimes les paysages, l'aventure, la mer et les plages, le mystère ? Alors, **vas-y** !

Tu aimes les paysages ? Alors vole en ballon au-dessus des fleuves et des rivières !

Tu aimes l'aventure ? Fais des promenades à pied, à vélo ou à cheval dans la campagne, sur les côtes ou dans les forêts !

Tu aimes la mer et les plages ? Fais des courses de char à voile ou une balade en kayak de mer ! C'est magique !

Tu aimes le mystère et les secrets ? Alors visite un château ou une cathédrale !

6 🎧🗨 Écoute et chante la chanson de Théo !

J'ai dans la tête des paysages d'aventures et de mer,
Et dans les yeux, j'ai des images de champs et de rivières...

J'aimerais voler, emporté(e) par le vent,
Me promener au bord des océans !

J'ai dans la tête des paysages de champs et de rivières...
Et dans les yeux, j'ai des images d'aventures et de mer !

On y va !

1 Associe les mots aux dessins !

l'avion – le ballon – le bateau – le bus – la moto – le roller – le scooter – le skate-board – le train – le tramway – le vélo – la voiture

en bus, *en* taxi,
en métro…
mais : *à* vélo
à moto
à pied

→ Tu vas comment au collège, au lycée ? … Tu aimerais y aller comment ? …

2 Écoute et lis, puis réalise à ton tour une fiche technique !

1783 : Les frères Montgolfier s'envolent à bord d'un ballon à air chaud « plus léger que l'air », la *montgolfière*. Ce ballon mesure 20 mètres de haut, pèse 250 kilos et vole jusqu'à 1 000 mètres, à une vitesse de 30 kilomètres à l'heure. Le vol dure 20 minutes !

1999 : Bertrand Piccard, aéronaute suisse, réussit le premier tour du monde en ballon sans escale avec le *Breitling-Orbiter 3* qui mesure, lui, 55 mètres, pèse 8 100 kilos et vole jusqu'à 12 000 mètres, à une vitesse de 240 kilomètres à l'heure… Ce vol dure 20 jours !

Fiche technique :

	taille (hauteur)	poids	altitude maximale	vitesse maximale	distance parcourue	durée de vol
1783	20 mètres	250 kilos	1 000 mètres	30 kilomètres à l'heure	10 kilomètres	20 minutes
1999	55 mètres	8 100 kilos	12 000 mètres	240 kilomètres à l'heure	45 800 kilomètres	20 jours

→ Fais une recherche : compare les premiers avions (Frères Wright, 1903 ou Louis Blériot, 1907) avec l'Airbus A380, par exemple !

3 Lis, puis compare les moyens de transport : *vrai* ou *faux* ?

Un ballon va **plus** vite **qu'**une voiture ? – Oui, il peut être **plus** *rapide* **qu'**une voiture.
Il produit **moins de** CO_2 **qu'**un avion ? – Oui, il est **moins** *polluant* **qu'**un avion.
Il consomme **autant d'**énergie **qu'**un bateau ? – Non, mais il est **aussi** *économique* **qu'**un bus…

Le comparatif
+ plus (de) … que
= { aussi … que
autant de … que
− moins (de) … que

1 Le scooter est plus dangereux que la moto.
2 La voiture est moins confortable que le train.
3 Le ballon est aussi polluant que l'avion.
4 Le bus est moins économique que la voiture.
5 Le skate-board est plus rapide que le roller.

6 Le train est plus bruyant que la voiture.
7 La moto est plus économique que le vélo.
8 Le bateau n'est pas aussi rapide que le train.
9 Le tramway est moins polluant que le bus.
10 L'avion est plus confortable que le ballon.

4 Interviewe ton voisin ou ta voisine, note ses réponses et présente ton interview à la classe !

1 Quel est, selon toi, le moyen de transport le plus rapide ? … le moins polluant ? … le plus confortable ? … le moins dangereux ? … le plus économique ? … le moins bruyant ? … le meilleur (avec le plus de qualités) ? …

Le superlatif
le (la, les) plus …/ le (la, les) moins …
mais : **bon → le meilleur**

2 Souviens-toi de ta réponse (activité 1) : Tu vas ou tu aimerais aller au collège (au lycée) comment ? … Est-ce que c'est le transport le moins bruyant, le moins polluant, le moins dangereux ou le plus économique ? …

PROJET : ÉCRIRE UN PETIT RÉCIT

Jules Verne
(1828-1905)

Uncle Prudent et Phil Evans sont pour les ballons dirigeables mais contre les appareils « plus lourds que l'air ». Afin de leur démontrer la supériorité de son engin aérien l'Albatros, une prodigieuse machine à hélices, l'ingénieur Robur les enlève et les contraint à un tour du monde forcé. Après avoir traversé l'Amérique, l'Asie et l'Europe du Nord, ils atteignent bientôt les côtes de France…

L'arrivée de *l'Albatros* sur Paris : extrait

Il est dix heures du soir. On passe comme une bombe au-dessus des villes, des bois et des villages. Vers minuit, on arrive au-dessus de Paris. En dessous de nous, nous voyons les lignes claires des rues et des boulevards. *L'Albatros* perd alors de sa vitesse et il commence à descendre. Comme dans un grand oiseau, nous survolons
5 maintenant la ville. Nous entendons le bruit des voitures et des trains. Nous restons ainsi une heure à nous « promener » sur les toits de Paris, presque à la hauteur des arbres, comme des somnambules. Robur a l'air de vouloir s'arrêter dans les airs, après ce voyage sans fin. Tout à coup, il allume les phares de l'engin. Deux énormes gerbes brillantes jaillissent : elles éclairent les places, les jardins, les palais et les
10 soixante mille maisons de la ville. Alors, la foule des Parisiens surpris lève la tête et lance vers nous un magnifique « hourra » ! Mais Robur éteint aussitôt les phares et il repart à une vitesse de deux cents kilomètres à l'heure. Nous remontons à plus de mille mètres d'altitude et, à quatre heures du matin, nous sortons déjà du territoire de la France…

D'après *Robur-le-Conquérant* de Jules Verne (1886)

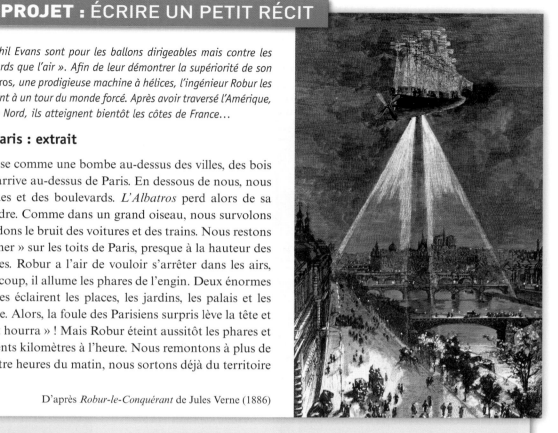

1  **Phonétique : les liaisons → Lis d'abord les questions et repère les mots dans l'introduction et le texte ! Lis ensuite le texte à voix haute ! Puis écoute le CD pour vérifier tes réponses !**

1 Est-ce qu'il faut faire la liaison après *les (appareils)* ? *son (engin)* ? *après (avoir)* ? *ils (atteignent)* ? *dix (heures)* ? *on (arrive)* ? *perd (alors)* ? *et (il)* ? *dans (un)* ? *grand (oiseau)* ? *nous (entendons)* ? *des (arbres)* ? *tout (à coup)* ? *deux (énormes)* ? *elles (éclairent)* ?
2 Dans la liaison, comment prononcer le *–s* ou *–x* final *(les, dix)* : [s] ou [z] ? Comment prononcer le *d* final *(grand)* : [t] ou [d] ?

2 **Relis le texte et réponds !**

Un récit ou une nouvelle, un roman, un conte, c'est-à-dire un « texte narratif », décrit une « situation ou une action de départ », un « changement soudain » (et ses conséquences) et « un dénouement, une conclusion ».

1 Quelle est dans le texte de Jules Verne la situation de départ ?
2 Quel est le changement et quelles sont ses conséquences ?
3 Raconte le dénouement, la conclusion !

3 **Écris un petit récit sur ce modèle !** Raconte un voyage aventureux *en avion, en ballon, en bateau, en bus* ou *en train* !

1 Commence par une « situation ou action de départ » :
On part (décolle, monte, arrive, etc.). On traverse **maintenant** *(survole, découvre, passe, etc.) … (devant, au-dessus de, sur, à côté de, etc.) …, des paysages (des montagnes, des forêts, des villes, des jardins, des fleuves, des rivières, des châteaux, un désert, la campagne, la mer, la côte, etc.) …*

Utilise des verbes comme : *aller – venir – arriver – (re)partir – monter – descendre – entrer – sortir – rester – passer – tomber – s'arrêter, etc.*

2 Décris ensuite un « changement ou un problème soudain » :
Tout à coup, *on va moins (plus) vite (on descend, on reste, on tombe, on s'arrête, etc.) …* **Alors…**

3 Termine par un « dénouement » ou une « conclusion » :
Nous voyons… Il y a (un, une, des) … Nous repartons (nous allons, nous remontons, etc.) …

4 Puis lis ton récit à ton voisin ou à ta voisine !

On y va !

Le voyage en ballon*

🎧 📖✍️ **Écoute et regarde ! Puis transforme les phrases au passé composé !** Attention : *Je suis* (image 1), *nous sommes* (image 5), *elle a* (image 6) et *c'est* (images 6 et 7) seront, eux, à l'imparfait : *J'étais, nous étions, elle avait* et *c'était* !

1. Un soir de juillet 1887, moi, Guy de Maupassant, je pars de Paris avec deux amis et le capitaine Jovis pour mon tout premier voyage en ballon ! Je suis un peu nerveux...

2. Nous montons à bord, puis le capitaine commande : « Lâchez tout ! »

3. En une seconde, nous partons ! On ne sent rien ; on monte, on vole !

4. En dessous de nous, nous voyons Paris, ses monuments et ses quartiers, comme sur une « carte de géographie »...

5. Nous montons encore : nous sommes déjà à 1 000 mètres... Nous volons vers le nord, au-dessus des villes, des champs et des rivières.

6. La lune se lève devant nous : elle a l'air d'un autre ballon ... C'est un spectacle magique !

7. Vers minuit, nous arrivons au-dessus d'une grande ville : c'est Lille.

8. Tout à coup, nous passons près d'une fonderie !

9. À quelques centaines de mètres à peine, nous survolons des flammes et des laves de feu !

*D'après la nouvelle de Guy de Maupassant (1887), publiée sous le titre *Le voyage du Horla*

1. le lest : *sacs de sable que les aéronautes peuvent jeter pour faire remonter le ballon* – 2. comme une flèche = *à toute vitesse* – 3. la nacelle : *le panier fixé sous le ballon*

Communication

Tu sais maintenant…

■ **exprimer la localisation (lieu, destination, provenance) :**
Lille, c'est ma ville : j'y habite avec mes parents.
Tu vas voir la cathédrale ? – Oui, j'y vais.
Tu vas au parc ? – Non, j'en viens.

■ **décrire la taille, l'altitude, la vitesse :**
Le ballon pèse 8 100 kilos ; il vole à mille mètres d'altitude et à une vitesse de deux cents kilomètres à l'heure.

■ **exprimer la comparaison :**
Le ballon est plus rapide qu'une voiture, moins rapide qu'un avion, aussi économique qu'un bus.

Vocabulaire

Ville, monuments et spectacles

la cathédrale	le décor	l'hôtel de ville (m.)	la promenade
le centre	l'église (f.)	la lumière	le quartier
le château	le festival	la magie	le spectacle

Campagne, saisons et paysages

l'automne (m.)	le climat	la forêt	la poule
le bois	la côte	l'hiver (m.)	le printemps
la campagne	l'été (m.)	la mer	la rivière
le canard	la ferme	le paysage	la saison
le champ	le fleuve	la plage	les vacances (f. pl.)
			la vache

Moyens de transport

l'avion (m.)	le char à voile	le scooter	le vélo
le ballon	le kajak de mer	le skate-board	la vitesse
le bateau	la moto	le train	la voiture
le bus	le roller	le tramway	le voyage (U1)

Mesures et divisions du temps

l'altitude (f.)	la durée	le kilomètre	le poids
le début	la fin	le mètre	la taille
la distance	le kilo(gramme)	la minute	le week-end

Adjectifs

bruyant(e)	fantastique	magique	prochain(e)
confortable	léger / légère	magnifique	rapide
économique	lourd(e)	polluant(e)	vieux / vieil / vieille

Verbes, adverbes et prépositions

alors	durer	mesurer	tout à coup
en dessous (au-dessous) de	se lever (astre)	peser	voler, s'envoler
au-dessus de	maintenant	survoler	voyager

Le degré de l'adjectif : le comparatif

		avec un adjectif ou un adverbe		avec un nom		avec un verbe	
supériorité	(+)	plus	... que	plus de	... que	... plus	que
égalité	(=)	aussi	... que	autant de	... que	... autant	que
infériorité	(–)	moins	... que	moins de	... que	... moins	que

Le tramway est **plus** rapide **que** le roller et **moins** polluant **que** le bus.
Il produit **moins de** CO_2 **que** la voiture.
Attention ! bon(s), bonne(s) → **meilleur(e)(s)** – bien → **mieux**

Le degré de l'adjectif : le superlatif

		avec un adjectif, un verbe ou un adverbe	avec un nom
supériorité	(+)	le plus (*avec un adjectif* = le, la, les plus)	le plus de ...
infériorité	(–)	le moins (*avec un adjectif* = le, la, les moins)	le moins de ...

Le vélo, c'est le transport **le moins** bruyant et **le plus** économique.
L'avion consomme **le plus** d'énergie.
Attention ! bon(s), bonne(s) → **le, la, les meilleur(e)(s)** – bien → **le, la, les mieux**

L'adjectif *vieux, vieil, vieille, vieux, vieilles*

Il se place AVANT le nom (comme petit, grand, nouveau, etc.)
J'aime le **Vieux**-Lille et ses **vieilles** maisons.

La préposition *en*

Elle est utilisée entre autres devant...
les années : Les frères Montgolfier réalisent leur premier vol **en** 1783.
les mois : Le Festival d'Avignon a lieu **en** juillet.
les moyens de transport : Nous partons **en** ballon.
les noms de pays féminins (ou les noms masculins commençant par une voyelle ou un h muet) : Il y a combien de semaines de vacances **en** France ?
les saisons : **En** été, il y a deux mois de vacances. (*mais* **au** printemps)

Les pronoms compléments de lieu *en* et *y*

En *exprime le lieu d'où l'on vient.* **Y** *exprime le lieu où l'on est et où l'on va.*
Tu reviens de la *Braderie* ? – Oui, j'**en** reviens.
Tu es au restaurant ? – Oui, j'**y** suis.
Tu vas voir la cathédrale ? – Oui, j'**y** vais.

Les adverbes de temps *maintenant, tout à coup* et *alors*

Ils marquent les étapes d'un récit.
Nous survolons **maintenant** Paris. **Tout à coup**, Robur allume les phares. **Alors**, la foule des Parisiens lève la tête.

Les liaisons

Le Nord-Pas-de-Calais et la Picardie

Bateaux à Dunkerque

La cathédrale d'Amiens

Le château de Pierrefonds (Oise)

PROJET

1 Repère ces villes ou ces sites sur une carte de France !

2 Puis, à ton tour, trouve sur Internet ou dans des brochures touristiques des photos de sites et de monuments célèbres de ta région ou de ton pays !

3 Accompagne-les d'une petite présentation écrite !

4 Mets ta présentation sur ton blog ou la page web de ton collège ou bien affiche-la dans la classe !

Qu'est-ce que j'emporte ?

1 🎧 💬 Écoute bien et regarde les images ! Quels sont, selon toi, les « objets fétiches » de Max, Théo, Agathe, Léa, Stanislas et Joséphine ?

Image 1

Théo : Salut ! On est sortis du collège. On vous offre un coca ! Vous venez ?

Agathe : Non, on attend le bus. On va retrouver Stan à une expo sur les « objets fétiches »...

Image 2

Théo : Tu peux m'expliquer ?

Agathe : Un objet fétiche, c'est un objet que tu as toujours avec toi, un objet qui exprime ta personnalité... Pour toi, c'est ton baladeur et pour moi, c'est euh... mon portable ! Allez, salut, à plus tard !

Image 3

Théo : Mais qu'est-ce qu'elles lui trouvent à ce « Stan » ? Il est nul...

Image 4

Stanislas : Salut à vous ! J'ai vu Agathe et Léa : je leur ai parlé d'une exposition...

Image 5

Théo : ...sur les objets fétiches, c'est ça ?

Joséphine : Salut ! Théo, tu me prêtes ton baladeur ?

Théo : Non ! C'est...

Stanislas : ... ton objet fétiche ? Un objet fétiche, ça ne se prête pas !

Image 6

Joséphine : Tu as des objets... fétiches, toi aussi ?

Stanislas : Oui, regarde : mon parapluie !

Joséphine : Ouah, la classe !

2 🎧 💬 Les pronoms COI → Complète d'abord à l'oral ! Puis écoute le CD pour vérifier tes réponses !

1 Vous êtes mes amis, n'est-ce pas ? Je peux **...** confier un secret ? Alors, je vais tout **...** expliquer : Oui, Stanislas m'énerve !

2 D'abord, le premier jour, il ne **...** dit pas bonjour, à Théo et à moi. Ensuite, il raconte à Léa et à Agathe qui est Guy de Maupassant et **...** prête un livre.

3 Elles **...** rendent le lendemain et depuis, elles **...** parlent à tous de spectacle, de jeux de lumière et de tours de magie !

4 À moi, Léa demande : « Tu **...** promets de faire les décors ? » Je ne sais pas quoi **...** dire ! Je voudrais **...** répondre : « Je **...** donne tous mes dessins, si tu veux, mais ne **...** parle pas de ce spectacle ! »

Pronoms COI	
je	→ me / m'
tu	→ te / t'
il/elle	→ lui
nous	→ nous
vous	→ vous
ils/elles	→ leur

5 L'autre jour il a parlé à Agathe et à Léa de « voyage en ballon », aujourd'hui il **...** parle d'une exposition bizarre sur des « objets fétiches ». Oui, vraiment, il m'énerve !

3 🗨️🗨️🗨️🗨️ **Les pronoms COI à l'impératif →** Travaille (A) avec ton voisin ou ta voisine (B) ! Regardez l'exemple et utilisez les verbes :

> confier – demander – dire – donner – expliquer – montrer – prêter – ~~raconter~~

Exemple : **A** Je **te** raconte tout ?
B Oui, raconte-**moi** tout ! Euh, non… ne **me** raconte rien !

4 🗨️🗨️🗨️🗨️ **Les pronoms COI au passé composé →** Utilisez maintenant les mêmes verbes donnés dans le cadre plus haut, mais au passé composé et selon le modèle suivant :

Exemple : **B** Tu **m'**as <u>déjà</u> tout raconté !
A Mais non, je ne **t'**ai <u>encore</u> rien raconté !

5 🗨️📖 Associe les mots avec les photos ! Exemple : 1-A. 🗨️ Puis coche les cases et réponds !

Les « objets fétiches »

◼ **Quel est l'objet – réel ou imaginaire – que tu as (voudrais avoir) toujours avec toi ?**

1 Une casquette ? ☐
2 Une peluche ? ☐
3 Un bijou ? ☐
4 Ta console de jeux ? ☐
5 Un gadget ? ☐
6 Ton baladeur ? ☐
7 Ton téléphone portable ? ☐
8 Une photo ? ☐
9 Un porte-clefs ? ☐
10 Un petit livre ? ☐
11 …   **12** …

◼ **Tu as cet objet depuis quand ?**

→ Je l'ai depuis … (mois, années, date)

Tu l'as trouvé ?   oui ☐   non ☐
Tu l'as acheté ?   oui ☐   non ☐
On te l'a offert ?   oui ☐   non ☐   Si oui, qui te l'a offert ? un(e) ami(e) ? ☐   tes parents ? ☐   des voisins ? ☐

◼ **Pourquoi est-ce que tu as (voudrais avoir) cet objet toujours avec toi ?**

C'est comme un ami (une amie) ? ☐
Il te porte bonheur ? ☐
Tu le trouves beau ? ☐
Il te rappelle quelqu'un ? ☐
Il te rappelle un souvenir ? ☐
Autre raison : …

6 🗨️🗨️🗨️🗨️ Rassemble maintenant toutes les informations et présente ton « objet fétiche », réel ou imaginaire, à ton voisin ou à ta voisine ou… à toute la classe !

19

PROJET : ENQUÊTE SUR LES LÉGENDES ET LES SUPERSTITIONS

Gévaudan

Carcassonne

1 🎧 💬 **Écoute et présente Héloïse ! Puis commente les photos !**

Bonjour ! Mon nom est Héloïse. Je viens de **Carcassonne**, une ville médiévale dans le **Languedoc-Roussillon** : c'est une région où les légendes sont nombreuses. L'une d'elles est la légende de la *Bête du Gévaudan* : entre 1764 et 1768, un animal fantastique et féroce aurait dévoré des dizaines de personnes dans les bois et les montagnes du Gévaudan. Moi, je n'**y** crois pas du tout…

La bête du Gévaudan

Carcassonne

En France, comme dans d'autres pays, il y a des gens superstitieux : ils croient qu'il peut y avoir des présages, des gestes, des objets ou des animaux qui portent bonheur ou malheur…

Et toi ? Tu t'intéresses aux légendes ?   Oui, je m'**y** intéresse. ☐   Non, je ne m'**y** intéresse pas. ☐
Tu crois aux superstitions, aux porte-bonheurs ?   Oui, j'**y** crois. ☐   Non, je n'**y** crois pas. ☐

2 💬📖 **Voici les superstitions les plus courantes en France. Associe chacune à une image !**
Exemple : 1-A 💬 **Est-ce qu'on les connaît aussi dans ton pays ?**

Ce qui porte malheur…
1 Passer sous une échelle.
2 Ouvrir un parapluie dans une maison.
3 Briser un miroir. (Cela annonce sept ans de malheur !)
4 Apercevoir une araignée le matin.

Ce qui porte bonheur…
5 Trouver un trèfle à quatre feuilles.
6 Toucher du bois.
7 Voir une étoile filante.
8 Recevoir un brin de muguet le 1er mai.

A **B** **C** **D** **E** **F** **G** **H**

3 💬💬 **Fais maintenant une enquête dans ta classe ou dans une classe voisine auprès de cinq ou six élèves !**
Pose les questions suivantes et note les réponses de tes camarades !
1 Donne le nom d'un lieu ou d'une région de ton pays où il y a beaucoup de légendes !
2 Donne le nom d'une légende de ton pays (ou d'une légende de France…) que tu connais et que tu aimerais raconter !
3 Est-ce que tu crois aux superstitions, aux porte-bonheur ?
4 Donne le nom d'un animal qui porte bonheur et le nom d'un animal qui porte malheur !
5 Donne le nom d'une fleur ou d'une plante qui porte bonheur et le nom d'une fleur ou d'une plante qui porte malheur !
6 Décris un geste qui porte bonheur ! Décris un geste qui porte malheur !

💬 **Puis compare les réponses, analyse-les et présente le résultat de ton enquête à la classe !**

4 💬 **Complète à l'oral !**

1 Le nom de la région … se trouve Carcassonne, c'est le … !
2 La plante à quatre feuilles … porte bonheur, c'est le … !
3 L'animal … on peut apercevoir le matin, c'est l'… !
4 …, c'est l'année … la *Bête du Gévaudan* a commencé à faire parler d'elle !

> **Les pronoms relatifs *qui, que, où***
> **qui** : sujet
> **que (ou qu')** : complément d'objet direct
> **où** : complément de lieu
> **où** : complément de temps

1 Écoute et montre les bons objets ! 😄📖 😄💬 Puis réécoute le dialogue et rejoue la scène avec ton voisin ou ta voisine ! Mais attention : il (elle) te répond sans lire les répliques dans le livre !

Qu'est-ce que tu fais ?

Tu vas où ?

Tu prends une serviette de bain ?

Tu veux des mouchoirs ?

Tu emportes des médicaments ?

Il te reste du shampoing ?

Tu as besoin d'un sèche-cheveux ?

Tu n'as pas de savon ?

Tu as une brosse à dents ?

Tu as assez de dentifrice ?

Tu ne veux pas de peigne ?

Il te faut de la crème solaire ?

Tu ne prends pas de lunettes ?

Tu n'as pas envie de prendre ton parapluie ?

Je prépare mon sac à dos...

Je vais à Carcassonne pour le week-end !

Oui, j'**en** prends une !

Oui, j'**en** veux !

Oui, j'**en** emporte !

Oui, il m'**en** reste !

Non, je n'**en** ai pas besoin !

Si, j'**en** ai !

Oui, j'**en** ai une !

Oui, j'**en** ai assez !

Si, j'**en** veux un !

Oui, il m'**en** faut !

Si, j'**en** prends !

Non, je n'**en** ai pas envie...

2 😄💬 **Réponds aux questions avec les pronoms *y* ou *en* !**

1 Est-ce que tu t'intéresses aux légendes ?

2 Est-ce que tu as toujours un objet fétiche avec toi ?

3 Est-ce que tu crois aux porte-bonheur ?

4 En vacances, tu prends un sac à dos ?

5 Tu as besoin d'une crème solaire ?

6 Tu emportes un parapluie ?

> *y* avec un verbe + préposition *à*
> *en* avec un verbe + préposition *de*
> *en* remplace aussi un COD introduit par un article indéfini ou un article partitif

3 😄💬 **Phonétique → Les sons [w] et [ɥ] : Répète les phrases ! Puis chante le rap !**

Aujourd'hui Louis, lui, n'a pas envie d'un parapluie ! Eh oui !

Qu'est-ce que j'emporte ?

Le parapluie*

Écoute et regarde ! Puis mets l'histoire en scène avec tes camarades !

1 Oh oh ! Voilà notre ami Louis avec son parapluie !

2 C'est ton objet fétiche ! Tu l'as toujours avec toi... depuis combien d'années, déjà ? Vingt ans ?

3 Il te ressemble, il a l'air un peu fatigué !

4 Tu devrais t'en acheter un autre !

5 Mais ma femme... Vous croyez qu'elle va m'acheter un parapluie neuf ?

6 Dis-lui : « Mes amis se moquent de mon parapluie : il m'en faut un autre ! »

7 Il m'en faut un autre !

T'en acheter un autre ? ... Bon, d'accord !

Quelques jours plus tard...

8 Ah ! Notre ami a enfin un nouveau parapluie !

9 Ah non ! Il ne faut pas ouvrir un parapluie dans une pièce : ça porte malheur !

*D'après la nouvelle de Guy de Maupassant (1884)

23

Communication

Tu as révisé comment…

■ **saluer et prendre congé :**
Salut à vous !
Salut, à plus tard !

■ **faire une proposition :**
On vous offre un coca ! Vous venez ?

■ **t'excuser :**
Je suis vraiment désolé(e) !

Tu sais maintenant …

■ **présenter et décrire un objet, un lieu, un événement :**
Un objet fétiche, c'est un objet que tu as toujours sur toi et qui exprime ta personnalité.
La région où se trouve Carcassonne, c'est le Languedoc-Roussillon.
1764, c'est l'année où la *Bête du Gévaudan* a commencé à faire parler d'elle.

Vocabulaire

Objets personnels et produits de toilette

le baladeur
le bijou (*pl.* les bijoux)
la brosse à dents
la casquette
la console de jeux
la crème solaire

le dentifrice
le gadget
les lunettes (*f. pl.*)
le médicament
le mouchoir
l'objet (*m.*)

le parapluie
le peigne
la peluche
le porte-bonheur
le porte-clefs
le sac à dos

le savon
le sèche-cheveux
la serviette de bain
le shampoing
le (téléphone) portable

Légendes et superstitions

l'accident (*m.*)
l'araignée (*f.*)
le bonheur

le brin de muguet
l'échelle (*f.*)
l'étoile filante (*f.*)

le fétiche
la légende
le malheur

le miroir
la superstition
le trèfle

Verbes

acheter
attendre
confier
croire à
demander
dire

donner
énerver
expliquer
falloir : il me faut…
s'intéresser à
montrer

se moquer de
(s') offrir
ouvrir
parler
partir
porter (bonheur, malheur)

préparer
prêter (U1)
raconter
ressembler à (U1)
rendre (U1)
répondre
trouver

Adjectifs

(bien) cuit(e)
désolé(e)

féroce
magnifique (U2)

malade
neuf / neuve

nombreux / nombreuse
superstitieux / superstitieuse

Grammaire

Les pronoms personnels COI

	1re personne	2e personne	3e personne
singulier	me (ou m'*)	te (ou t'*)	lui
pluriel	nous	vous	leur

* *devant une voyelle* a, e, i, o, u, y *ou un h muet*

Je **te** donne tous mes dessins, mais ne **me** parle pas de ce spectacle !
Avec un impératif : Je **te** raconte tout ? – Oui, raconte-**moi** tout !
Avec un passé composé : Tu **lui** as déjà tout dit ? – Non, je ne **lui** ai rien dit !

Les pronoms COI *en* et *y*

■ **En** *avec un verbe + préposition* **de** *suivie d'un « inanimé » :*
Tu as besoin d'un sèche-cheveux ? – Oui, j'**en** ai besoin !
[**Mais** *avec un verbe + préposition* **de** *suivie d'un « animé », utilisation du pronom tonique :*
Tu as besoin de Léa ? – Oui, j'ai besoin d'**elle** !]

■ **Y** *avec un verbe + préposition* **à** *suivie d'un « inanimé » :*
Tu t'intéresses aux légendes ? – Oui, je m'**y** intéresse !
[**Mais** *avec un verbe + préposition* **à** *suivie d'un « animé », utilisation du pronom tonique :*
Tu t'intéresses à Stanislas ? – Oui, je m'intéresse à **lui** !]

Le pronom COD *en*

■ *Il remplace un complément introduit par un article indéfini :*
Tu veux des mouchoirs ? – Oui, j'**en** veux !
Tu prends une serviette de bain ? – Oui, j'**en** prends une !
Mais *avec la négation, pas d'article indéfini :* Non, je n'**en** prends pas !

■ *Il remplace un complément introduit par un article partitif :*
Tu as du shampoing ? – Oui, j'**en** ai !

■ *Avec l'expression d'une quantité :*
Tu as assez de dentifrice ? – Oui, j'**en** ai assez !

Les pronoms relatifs *qui, que, où*

Sujet : C'est un objet **qui** exprime ta personnalité.
Complément d'objet direct : C'est le parapluie **que** je t'ai offert.
Complément de lieu : C'est une région **où** les légendes sont nombreuses.
Complément de temps : C'est le jour **où** tu as vu une araignée.

Phonétique

Les sons [w] et [ɥ]

Stratégies

Pour mieux comprendre…

Déduis le sens des mots nouveaux à partir des mots que tu connais déjà : par exemple, en t'aidant également des illustrations, tu peux déduire le sens de *sèche-cheveux* à partir du mot *cheveux*, celui de *brosse à dents* à partir du mot *dents* et celui de *serviette de bain* à partir du mot *bain* !

Le Languedoc-Roussillon

Carcassonne : la cité médiévale

Le pont du Gard

Les gorges du Tarn

Nîmes : les Arènes

Classe ces photos dans l'ordre de tes préférences et explique ton choix !

On révise et on s'entraîne pour le DELF A2 !

Nom : .... Prénom : ....

Compréhension de l'oral (25 points)

🎧 **1** Voici une émission de radio sur les métiers que voudraient faire des adolescents. Écoute et coche à chaque fois la bonne case ! Lis d'abord les phrases. Tu as deux écoutes !

☐ Méline ne sait pas encore quel métier choisir. Elle cherche des informations.

☐ Méline voudrait être psychologue.

☐ Amir voudrait être acteur de cinéma.

☐ Amir voudrait être critique de films.

☐ Paula veut être professeur et travailler avec des enfants.

☐ Paula veut être éducatrice ou infirmière et travailler avec des enfants.

☐ Victor aimerait devenir journaliste.

☐ Victor aimerait devenir footballeur ou joueur de rugby.

☐ Jeanne voudrait être vampire ou photographe.

☐ Jeanne voudrait être sorcière ou photographe.

🎧 **2** Écoute ces annonces dans un supermarché ! Résume en quelques mots ce qui est annoncé. Tu as deux écoutes !

Annonce 1 : ....

Annonce 2 : ....

Annonce 3 : ....

Annonce 4 : ....

Annonce 5 : ....

Compréhension des écrits (25 points)

1 😀📖 Lis le blog de Nicolas ! Puis coche les bonnes phrases !

> Samedi 14 septembre
>
> Moi, j'ai peur du nombre 13 ! C'est un nombre qui porte malheur : la preuve, il n'y a pas de rang numéro 13 dans les avions et, dans beaucoup d'hôtels, il n'y a pas de 13e étage et pas de chambre numéro 13 ! Je déteste le vendredi 13 : c'est un jour dangereux ! Ce jour-là, je ne sors pas de chez moi. Je ne vais pas travailler, je ne fais pas de courses, je ne pars pas en voyage : je pourrais avoir un accident ! Je reste à la maison. Je ne lis pas les SMS de mes amis : je pourrais lire des mauvaises nouvelles… Je ne regarde pas la télé : je pourrais voir des catastrophes… Et quand je lis un livre, je ne lis pas la page 13 !
>
> Mais j'ai des amis qui pensent que le vendredi 13 porte bonheur ! Ce jour-là, ils jouent à des jeux comme le loto ou bien ils vont au casino et ils jouent leurs numéros fétiches : ils pensent qu'ils ont plus de chance de gagner ce jour-là ! C'est vraiment idiot ! Moi, bien sûr, je ne joue pas : je suis sûr de perdre !
>
> ajouter un commentaire　　　　　　　commentaires (4)　　　　　　　recommander

1 ☐ Nicolas est superstitieux.

2 ☐ Il a des passe-temps comme les voyages ou la lecture.

3 ☐ Le vendredi 13 est pour lui un jour qui porte bonheur.

4 ☐ Hier, il est sorti et a rencontré des amis.

5 ☐ Mais il a eu peur de lire des SMS ou de regarder la télé.

6 ☐ Au loto, il a joué ses numéros fétiches.

2 📖 **Lis les informations données sur ce site touristique ! Puis écris vrai (V) ou faux (F) et justifie ta réponse !**

CHAMPAGNE-ARDENNE
Votre prochaine destination...

Histoire	Gastronomie	Tourisme	Hôtels et restaurants	Cartes et accès	Documentation

De la frontière belge aux portes de la Bourgogne, la Champagne-Ardenne est facile d'accès : elle est à 1 heure 30 de Paris en train ou en voiture. Découvrez son histoire à travers ses monuments et appréciez sa biodiversité à travers ses paysages de campagne, de rivières, de lacs et de forêts !

La région vue du ciel
Commencez par survoler en ballon les vignes de la Champagne : c'est en effet une région célèbre dans le monde entier pour son vin pétillant[1]. Découvrez aussi d'en haut une des plus belles cathédrales de France, celle de Reims !

La région et son patrimoine
Promenez-vous dans le centre de Troyes ou de Langres et admirez les vieilles rues et les maisons du XVIe siècle. Allez visiter les petites églises en bois du sud-est de la Champagne, le château du Grand Jardin ou la citadelle de Rocroi !

La région et ses paysages
Partez à la découverte des Ardennes et de ses forêts mystérieuses. Vous pouvez les traverser à pied, à cheval ou à VTT[2]. Vous pouvez aussi faire du bateau sur les canaux, faire du ski nautique sur les lacs ou faire du canoë-kayak sur la Meuse !

La région et ses festivals
Vous aimez les festivals ? Alors, le *Festival de la photo animalière* à Montier-en-Der, le *Festival mondial des Théâtres de marionnettes* à Charleville-Mézières ou le *Festival des musiques d'ici et d'ailleurs* à Châlons-en-Champagne vous attendent !

1 La région Champagne-Ardenne est au sud de la France.
2 On peut y pratiquer des sports de haute montagne.
3 On peut y pratiquer des sports nautiques.
4 C'est une région pour les photographes et les musiciens.
5 Mais il n'y a plus de villes ou de monuments anciens.
6 Un produit de cette région est connu dans le monde entier.

Production écrite (25 points)

1 😊✍ Écris pour un site Internet de voyages une présentation de ta ville ou de ta région, ce qu'on peut y visiter, y faire et y découvrir ! (70-80 mots)

2 😊✍ Écris à un(e) ami(e) francophone pour lui expliquer l'organisation de ton calendrier scolaire, tes périodes de vacances, etc. ! (60 mots)

La rentrée des élèves se fait en... , puis les premières vacances commencent en...

Production et interaction orales (25 points)

1 😊💬 Présente ta famille et les professions que les membres de ta famille exercent ou aimeraient exercer ! Dis aussi quel métier tu aimerais faire plus tard !

Mon père est... (boulanger), ma mère voudrait être... (coiffeuse). Mon frère est... (au chômage). Moi, je voudrais être... (infirmier / infirmière), parce que...

2 😊💬 Tu pars en vacances en France avec ta classe : tu aimerais emporter tous tes vêtements, tous tes objets fétiches, mais ton professeur te rappelle que tu ne peux pas emporter trop de choses !

– J'emporte tous mes ..., j'en ai besoin ! J'emporte trois ... : il m'en faut trois ! Je prends aussi mon ..., j'en ai envie ! etc.
– Non, cela ne va pas être possible ...

---

1. pétillant : *qui fait des bulles. Le champagne est un vin blanc rendu mousseux et pétillant.* – 2. le VTT : *le vélo tout-terrain (pour faire du vélo sur tous les chemins ou terrains).*

Échoués sur la plage…

1 🎧 💬 **Écoute et regarde ! Puis explique pourquoi Léa et Agathe ont l'air fâché(es) !**

Image 1

Léa : On vient d'arriver sur une plage humide, en plein hiver ! Quelle drôle d'idée !

Agathe : Regarde-les ! Ils sont en train de dessiner la plage et Joséphine est en train de chercher des coquillages : c'est nul !

Image 2

Léa : On vous explique : Stan nous a présenté son frère, Philibert : il est illustrateur et créateur de bandes dessinées, comme Max !

Agathe : Philibert a dit : « Je vous emmène au festival de la bande dessinée à Angoulême ! Mais avant, je vais aller faire des dessins à l'île de Ré, sur la plage de *L'Épave*… »

Image 3

Joséphine : Quelle épave ?

Léa : C'est un des contes de Maupassant…

Agathe : Alors Max a dit : « Le festival de la bande dessinée ? Génial ! » Il a ajouté : « Une plage en hiver, c'est trop poétique : il y a des coquillages, des étoiles de mer, du bois mort… »

Image 4

Joséphine : … et des bouteilles en plastique, hé hé !

Léa : J'ai horreur des plages en hiver !

Image 5

Philibert : Qu'est-ce qu'elle dit ?

Max : Elle dit qu'elle adore les plages en hiver parce que c'est poétique !

2 💬 **Complète à l'oral : choisis entre *venir de* (ou *d'*), *être en train de* (ou *d'*) et *aller* !**

1 On … arriver sur la plage. On … chercher des coquillages. Après, on … nager, c'est sûr !

2 Je … attendre le bus : il arrive à 16 h 45. Je … sortir du collège à 16 h 30. Je … rentrer à la maison pour le film à 17 h !

3 Max … aller au festival d'Angoulême pour montrer ses bandes dessinées. Il … préparer son dossier. Il … terminer sa bande dessinée sur *L'Épave*.

4 Je … partir en vacances. Je … préparer mon sac à dos et je … attendre un taxi pour l'aéroport : oh là, il n'arrive pas !

5 Théo … acheter sa nouvelle console de jeux. Il … l'essayer. Zut ! Elle ne marche pas : il … la rapporter au magasin !

6 Je … compléter la phrase 6. Je … bientôt terminer cet exercice. Je … compléter la phrase 5.

Le passé récent :	**venir de** + infinitif
Le présent continu :	**être en train de** + infinitif
Le futur proche :	**aller** + infinitif

3 🔊 💬 **Décris d'abord un maximum d'objets ! Puis écoute et associe ! Tu as deux écoutes ! Exemple : 1-G**

PRODUITS NATURELS TROUVÉS SUR LA PLAGE :
1 plume(s)
2 galet(s)
3 coquillage(s)
4 étoile(s) de mer
5 pierre(s)
6 bois mort
7 feuille(s)
8 graine(s)
9 éponge(s)
10 fleur(s) séchée(s)
11 algue(s)
12 bouteille(s) en plastique

A clair(e)	**B** doux / douce	**C** dur(e)	**D** fragile	**E** grand(e)	**F** humide	**G** léger / légère
H lourd(e)	**I** petit(e)	**J** pointu(e)	**K** rond(e)	**L** sec / sèche	**M** solide	**N** sombre

clair	≠	sombre
doux (mou)	≠	dur
fragile	≠	solide
grand	≠	petit
humide	≠	sec
léger	≠	lourd
rond	≠	pointu

4 💬 **Choisis trois « souvenirs de plage » et note leur numéro ! Pour chacun d'entre eux, imagine une devinette avec deux indices et soumets-la à ton voisine ou ta voisine !**

Exemples : Qu'est-ce qui est pointu et léger ? (*du bois mort*) – Qu'est-ce qui est roux et sec ? (*une fleur séchée*) – Qu'est-ce qui est doux et humide ? (*une éponge*), etc.

Pour gagner un point, ton voisin (ta voisine) a droit à deux réponses à chaque fois ! Puis c'est à lui (à elle) de te soumettre ses devinettes !

5 🔊 💬 **Théo a choisi pour toi trois extraits d'œuvres musicales : quel morceau, selon toi, est extrait de l'œuvre *La Mer* de Claude Debussy, un compositeur français ? Le morceau 1, 2 ou 3 ? Explique pourquoi !**

Exemples : Dans ce morceau, j'imagine l'orage sur la mer : le ciel est sombre, les nuages sont lourds, on voit des éclairs dans le ciel. – Dans cet extrait, j'imagine la plage en été : le vent est chaud, le sable est doux, etc.

Claude Debussy
(1862-1918)

Camille Saint-Saëns
(1835-1921)

Maurice Ravel
(1875-1937)

Les autres extraits sont tirés d'œuvres de **Camille Saint-Saëns** et de **Maurice Ravel**, deux autres compositeurs français.
Réécoute les extraits ! Qu'est-ce que tu imagines, maintenant ?

💬 **Compare tes réponses avec ton voisin ou ta voisine !**

Échoués sur la plage...

PROJET : ÉCRIRE UN POÈME

1 🎧 📝 💬 **Écoute et lis les poèmes !**

1 Les Épaves

Dans l'âpre[1] souffle des hivers,
Pareilles à des noyés hâves[2],
Voici venir du fond des mers
Les tristes, les vieilles épaves…

Et c'étaient jadis des vaisseaux[3],
Des vaisseaux bruns aux blanches voiles
Que berçait l'infini des eaux
Avec la chanson des étoiles…

Anatole Le Braz (1859-1926)

2 La mer

La mer brille
comme une coquille ;
on a envie de la pêcher.

La mer est verte,
la mer est grise,
elle est d'azur[4]
elle est d'argent et de dentelle.

Paul Fort (1872-1960)

2 📝 💬 **Relis les poèmes et réponds !**

1 Tu imagines quelles couleurs en lisant le poème *Les Épaves* ? en lisant le poème *La mer* ? en lisant le poème *Sur le sable* ?
2 Quelles comparaisons introduisent *pareil (à)* dans le poème *Les Épaves* et *comme* dans les deux autres poèmes ?
3 Repère les rimes dans le poème *Les Épaves* ! Comment sont-elles organisées ? Est-ce que tu trouves des rimes dans les deux autres poèmes ?
4 Fais l'expérience : lis le poème *Sur le sable* en commençant par le 2e, le 3e, le 4e, le 5e ou le 6e vers : ça marche !
5 Quel poème est-ce que tu préfères ? Pourquoi ?

3 🙂✍️ **Maintenant à toi de créer un ou plusieurs poèmes !**

3 Sur le sable…

Échoué sur le sable
un coquillage
brun clair
fragile
pointu et léger
comme une plume…

■ **Très facile :** Tu prends le modèle du poème *Sur le sable* !
– Tu commences par penser à un objet échoué sur le sable ou trouvé dans la forêt (ou *sur l'herbe, au bord de l'eau, dans le désert, dans un jardin, dans un champ, sur la plage*) etc.
– Puis tu écris le nom de l'objet (*un coquillage, une éponge, une étoile de mer, une feuille, une fleur, un galet, une graine, un morceau de bois, une plume, une pierre*, etc.)
– Ensuite, tu réponds aux questions : Quelle forme a l'objet, quel aspect ? … Il est de quelle(s) couleurs(s) ? … D'autres adjectifs pour le décrire ? … Et tu termines par une comparaison avec *comme* … Attention à l'accord des adjectifs !

■ **Assez facile :** Tu prends le modèle du poème *La mer* : tu peux parler de la *mer* bien sûr, mais aussi du *soleil*, de la *lune*, du *sable*, de la *forêt*, d'un *paysage*, etc. N'oublie pas d'utiliser la comparaison avec *comme*… et des adjectifs de couleur !

■ **Moins facile :** Tu peux prendre le modèle du poème *Les Épaves*, et parler aussi d'épaves de voitures, d'avions, de trains, etc. dans un paysage futuriste et fantastique : *Voici venir du fond des mers (ou de la Terre, de l'eau… ou du ciel)*, etc. Pense à utiliser une comparaison (introduite par *pareil à* ou *comme*) et à utiliser des rimes !

💬 → Ton poème terminé, entraîne-toi à le lire seul(e), puis à voix haute à ton voisin ou à ta voisine et/ou à toute la classe !

---

1. âpre : *dur* – 2. hâve : *blême, très blanc* – 3. le vaisseau : *le bateau* – 4 d'azur : *bleu*

1 😊📖💬 **Écoute, lis et réponds aux questions de Dorian ! Puis présente Angoulême !**

Angoulême

Moi, c'est Dorian ! Je voudrais d'abord te poser des questions :
■ Est-ce que tu aimes lire ? Oui ? ... Non ? ...
■ Tu lis des livres ? des magazines ? des BD (des bandes dessinées) ? des journaux ? des blogs sur Internet ? ...
■ Tu lis quand ? pendant les cours au collège ? le soir chez toi ? pendant le week-end ? pendant les vacances ? ...
■ Où est-ce que tu lis ? dans le bus ? dans le métro ? en voiture ? dans ta chambre ? devant la télé ? sur Internet ? au collège ? ...

■ Si tu lis des livres ou des BD, combien tu en lis dans l'année ? ...
J'adore lire des BD et j'adore ma ville, **Angoulême** : depuis 1974, c'est ici qu'a lieu (au mois de janvier, en plein hiver et... en **Poitou-Charentes**) le Festival international de la bande dessinée ! Il y a même des rues qui portent le nom de créateurs de BD : *la rue Hergé*, le « père » de Tintin (le reporter avec son chien Milou) ou la *rue René Goscinny* le « père » d'Astérix, de Lucky Luke ou du Petit Nicolas !
Il y a aussi beaucoup de « murs peints » réalisés par des illustrateurs. Ils représentent des paysages ou des personnages imaginaires. Je suis en train de tous les photographier !

■ Est-ce qu'il y a aussi des murs peints dans ta ville ? ...
■ Où est-ce qu'ils sont ? dans le centre-ville ? ...
■ Combien il y en a ? beaucoup ? ...
■ Est-ce que tu vas les photographier toi aussi ? ...

2 😊📖💬 **Discours et interrogation indirects → Lis les exemples et complète à l'oral !**

Exemples : « J'adore lire des BD. » → Dorian dit **qu'**il adore lire des BD. – « **Est-ce que** tu lis des magazines ? » → Il te demande **si** tu lis des magazines. – « **Où est-ce que** tu lis ? » → Il veut aussi savoir **où** tu lis. – « **Combien** de livres tu lis ? » → Il te demande **combien** de livres tu lis.

1 « Dans ma ville, il y a beaucoup de murs peints. » → Dorian dit **...**

2 « Est-ce qu'il y a aussi des murs peints dans ta ville ? » → Il veut savoir **...**

3 « Où est-ce qu'ils sont ? » → Il te demande **...**

4 « Combien il y en a ? » → Il veut aussi savoir **...**

5 « Est-ce que tu vas les photographier toi aussi ? » → Il te demande aussi **...**

3 😊💬 **Phonétique → L'accent de durée : Écoute et lis à voix haute !** Entraîne-toi à bien faire <u>durer</u> la syllabe soulignée : c'est la dernière syllabe d'un groupe de mots (ou groupe rythmique) et c'est elle qui porte l'accent de durée !

Voici la plage en plein hi<u>ver</u>... et ses é<u>pa</u>ves... du fond des <u>mers</u> ! Voici la plage en plein é<u>té</u>... et ses coqui<u>lla</u>ges... sous le vent lé<u>ger</u> !

Échoués sur la plage...

L'épave*

 Écoute et regarde ! Puis raconte l'histoire !

1. Bonjour ! Je viens d'arriver à La Rochelle. Un bateau s'est échoué sur l'île de Ré ?

Non, pas sur l'île ; à côté, sur un banc de sable...

2. Je voudrais faire des dessins de l'épave. Vous m'y emmenez ?

Des dessins ? Avec ce brouillard humide et la nuit qui va tomber ? Mm... allons-y !

3. Je vais marcher jusqu'au bateau.

Attention ! Maintenant la mer est basse, mais dans deux heures... Ne restez pas trop longtemps là-bas !

4. Je... je suis en train de dessiner le ventre de cette énorme baleine échouée...

5. Je vais m'asseoir ici !

6. Oh !

Je vous ai fait peur ? Je suis venue visiter l'épave. Et vous, qu'est-ce que vous faites ici ?

7. Quelle drôle d'idée !

8. Mais qui est-elle ? Une sirène* ? Ses cheveux ont la couleur du sable... Sa peau a la couleur des coquillages...

9. Écoutez !

Vite, remontons sur le pont !

*D'après le conte de Guy de Maupassant (1886)
*une sirène : personnage fabuleux à corps de femme et à queue de poisson

Communication

Tu as révisé comment...

■ **décrire une action en cours :**
Ils sont en train de dessiner la plage.

■ **parler d'une action dans un futur proche :**
Je vais partir à Angoulême.

■ **comparer :**
La mer brille comme une coquille.

■ **exprimer un désaccord :**
Quelle drôle d'idée !

Tu sais maintenant...

■ **dire ce que tu viens de faire :**
Je viens d'arriver.

■ **dire que tu détestes quelque chose :**
J'ai horreur des plages en hiver !

■ **rapporter un propos, une question :**
Elle dit qu'elle adore les plages en hiver.
Il veut savoir si tu aimes lire.

■ **décrire un objet, un lieu :**
Une étoile de mer, c'est léger et fragile.
Sur la plage, le sable est doux.

Vocabulaire

Trouvés sur la plage...

l'algue (f.)	le coquillage	la feuille	le naufragé
la baleine	l'épave (f.)	la fleur	la pierre
le bois (mort)	l'éponge (f.)	le galet	la plume
la bouteille en plastique	l'étoile de mer (f.)	la graine	le sable

Verbes

adorer	avoir horreur de	emmener	se noyer
aller (+ infinitif)	s'échouer	être en train de (+infinitif)	venir de (+ infinitif)

Adjectifs de couleur (révision)

beige	brun(e)	marron (pl. **marron** !)	rouge
blanc / blanche	clair(e)	noir(e)	sombre
bleu(e)	gris(e)	orange (pl. **orange** !)	vert
blond(e)	jaune	rose	violet

Adjectifs de forme et de texture

doux / douce	grand(e)	lourd(e) (U 2)	pointu(e)
dur(e)	humide	mou / molle	rond(e)
fragile	léger / légère (U 2)	petit(e)	sec / sèche
			solide

Adverbes

ici	là	là-bas	trop tard

Grammaire

Le passé récent, le présent continu, le futur proche

■ *Le passé récent :* **venir de** *(au présent) + infinitif :*
On vient d'arriver sur une plage.

■ *Le présent continu :* **être en train de** *(au présent) + infinitif :*
Ils sont en train de dessiner.

■ *Le futur proche :* **aller** *(au présent) + infinitif :*
La nuit va tomber.

Accord et place de l'adjectif qualificatif (reprise)

■ *Il s'accorde avec le nom ou le pronom auquel il se rapporte :*
Au féminin : +e ; *au pluriel :* +s ; *au féminin pluriel :* +es
Attention ! doux / féminin ➜ douce – léger / féminin ➜ légère – mou / féminin ➜ molle
– sec / féminin ➜ sèche

■ *L'adjectif qualificatif est en général* <u>après</u> *le nom.*
[**Mais** *les adjectifs* bon, mauvais, jeune, vieux, nouveau, grand, petit, gros, beau, joli *sont*
<u>avant</u> *le nom :* C'est une **jolie** pierre.]

■ *Les adjectifs de couleur, de forme et de texture sont toujours* <u>après</u> *le nom :*
Sur la plage, on a trouvé une étoile de mer **rose** et un coquillage **pointu**.

Le discours et l'interrogation indirects au présent

■ *Le discours indirect permet de rapporter ce que dit quelqu'un. Il est introduit par* **que**
(qu') : Léa dit : « J'ai horreur des plages en hiver ! » ➜ Léa dit **qu'**elle a horreur des
plages en hiver.

■ *L'interrogation indirecte est introduite par* **si***, *quand l'interrogation directe ne comporte
pas de mot interrogatif ou qu'elle s'exprime avec* est-ce que :
Dorian te demande : « **Est-ce que** tu aimes lire ? » ➜ Dorian te demande **si** tu aimes
lire.

■ *Sinon, les mots interrogatifs restent les mêmes que dans l'interrogation directe :*
« **Combien** de livres tu lis ? » Dorian veut savoir **combien** de livres tu lis.

***s'** *devant il/ils, mais pas devant elle/elles*

Phonétique

L'accent de durée

Stratégies

Pour mieux dire un texte ou un poème…

■ Repère d'abord dans le texte les difficultés de prononciation, ainsi
que les groupes rythmiques et leur accent de durée et bien sûr les
liaisons, s'il y en a.
■ Lis le texte à voix basse plusieurs fois pour t'entraîner : respire
bien avant chaque groupe rythmique un peu long.
■ Lis ensuite le texte à ton voisin ou ta voisine à voix haute et demande-
lui de te corriger.
■ Apprends le petit texte ou le poème par cœur et dis-le devant la
classe, debout, comme si tu étais « au théâtre ». Bonne chance !

Culture et civilisation

Pays-de-la-Loire et Poitou-Charentes

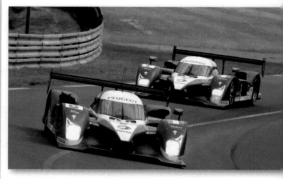

Les 24 heures du Mans :
une course automobile

Fort Boyard : un site historique,
un jeu et une émission de télé

Le Puy du Fou : un parc d'attractions
et de loisirs

**Fais une recherche dans une encyclopédie
(ou sur Internet) et trouve des explications
sur ces lieux ou sur ces événements !**

**Puis écris un petit texte
à ajouter à chaque photo !**

PROJET DE L'UNITÉ :
RÉALISER UN SONDAGE

Bien dans ma peau ?

1 Écoute bien ! Repère et imite les accents d'insistance (syllabes en gras) !

1
2
3
4
DANGER !
CHANTIER INTERDIT AU PUBLIC
5
6

Image 1

Agathe : Max a eu le prix *Jeunes Talents* au Festival d'Angoulême pour sa BD sur *l'Épave* !

Théo : Je trouve ça **for**midable ! C'est **ma**gnifique, **fa**buleux, **fan**tastique...

Image 2

Léa : Qu'est-ce qui se passe ? Tu es jaloux de Max ?

Théo : Non, pas du tout ! Max est mon meilleur copain ; il est très fort en dessin, mais moi...

Image 3

Joséphine : Toi, tu ne peux pas avoir de prix pour une BD, c'est sûr : tes dessins sont **moches**, **hi**deux, **ho**rribles...

Léa : Joséphine ! Tu es **pé**nible !

Image 4

Stanislas : D'accord, tu ne peux pas être célèbre pour tes BD, mais tu peux être célèbre pour tes chansons ! Ma mère est organisatrice de concerts : elle travaille pour le *Printemps de Bourges*, le festival de musique. Tu pourrais t'inscrire...

Théo : Non, pas question ! Tu es **pé**nible avec ta **fa**mille ! Toujours **sym**pa avec tout le monde, hein ? Toujours **con**tent de toi ? **Moi**, je suis **mal** dans ma peau, ma famille est **nul**le et mes amis **fi**dèles ? Ils m'ont a**ban**donné...

Image 5

Théo : Je m'en vais ! Adieu !

Image 6

Stanislas : Et en plus, il ne sait pas conduire...

2 Constructions adjectivales → Complète d'abord à l'oral avec les prépositions *à*, *avec*, *de*, *en* ou *pour* ! Puis écoute le CD pour vérifier tes réponses ! Fais ensuite une liste des adjectifs soulignés, avec leur préposition !

Je ne sais pas trop ce qui s'est passé. Tout à coup, Théo s'est fâché avec Stan. Puis il est parti avec son scooter et il a eu un accident dix mètres plus loin, c'est trop bête ! Il est si sympa **...** tout le monde !

Bon, il est un peu méchant **...** sa sœur, mais Joséphine est bizarre, non ?

Oui, il a été dur **...** Stan. Mais c'est vrai : Stan est assez pénible avec sa famille, son frère, sa mère !

Non, Théo n'est pas jaloux **...** Max. Il est fidèle **...** ses amis. Il est généreux et gentil **...** nous. Parfois il est un peu trop nerveux, un peu trop stressé, un peu trop têtu, même un peu trop agressif ! Il est mal dans sa peau : il n'est jamais content **...** lui ; c'est ça son problème.

C'est sûr, il ne peut pas être célèbre **...** ses BD : il est nul **...** dessin. Mais il est très fort **...** musique ! Il a beaucoup de talent ! Je suis fière **...** Théo ! Moi, amoureuse **...** lui ? Alors là, pas du tout ! Non, non...

3 📖 ❓📖❗ **L'interrogation indirecte →** Pose les questions complétées avec *ce qui* et *ce que* à ton voisin ou à ta voisine : Écris ses réponses pour présenter ensuite le résultat de ton interview à la classe !

Exemple : « Qu'est-ce **qui** t'intéresse ? la musique ? le cinéma ? le théâtre ? » → Je me demande **ce qui** t'intéresse...
« Qu'est-ce **que** tu aimes faire ? du vélo ? du jogging ? du shopping ? » → Je voudrais savoir **ce que** tu aimes faire...
Résultat de l'interview : **Ce qui** intéresse ma voisine (mon voisin), **c'est** le cinéma ! Ce qu'elle (il) aime faire, **c'est** du jogging ! etc.

1 « Qu'est-ce que tu préfères ? la télé ? Internet ? les livres ? » → Je voudrais savoir ...

2 « Qu'est-ce qui te plaît ? le sport ? la mode ? la danse ? » → Je me demande ...

3 « Qu'est-ce qui te fait peur ? un cauchemar ? un film d'horreur ? les informations à la télé ? » → Je veux savoir ...

4 « Qu'est-ce que tu voudrais faire ? aller à la piscine ? aller au concert ? aller au musée ? » → Je ne sais pas ...

5 « Qu'est-ce qui t'amuse ? voir quelqu'un rire ? voir quelqu'un tomber ? voir quelqu'un s'énerver ? » → Je ne comprends pas ...

6 « Qu'est-ce que tu détestes ? la violence ? l'hypocrisie ? la méchanceté ? » → Je me demande ...

4 📖 📖 **Les pronoms relatifs *ce qui* et *ce que (ce qu')* →** Lis l'exemple et complète à l'oral !

Exemple : Ce que veut Léa, c'est faire ce qui lui plaît !

1 ... veut Théo, c'est être célèbre ?

2 Non, ... lui plaît, c'est faire de la musique.

3 Et surtout, faire ... il aime !

4 Mais ... lui manque, c'est plus de confiance en lui.

5 Tu penses vraiment ... tu dis ?

6 Oui, ... est important, c'est d'être bien dans sa peau !

5 📖 📖 **Phonétique →** L'accent d'insistance : Écoute et repère les syllabes où se porte l'accent d'insistance !

1 Ce paysage est hideux !

2 Moi, je trouve cet endroit magique !

3 Oui, ce décor est magnifique !

4 C'est une fête vraiment géniale !

5 La musique est horrible !

6 Mais non, la musique est fantastique !

📖 ❓📖❗ **Maintenant, lis le dialogue (A) avec ton voisin ou ta voisine (B) !** Prononcez les phrases en insistant sur les syllabes en gras ! Écoutez ensuite le CD pour vérifier votre prononciation !

A Non, je ne suis pas **sym**pa et **gen**til ! Je suis **tê**tu(e)
et **a**gressif (**a**gressive) !

B Mais non, tu es **for**midable ! Tu as un talent **fa**buleux !

6 📖 **Écoute et chante le rap de Théo !**

Bien dans ma peau ?
Je n' suis pas bien dans ma peau !
Je n' sais pas ce que je veux,
Toujours un peu trop nerveux...

Bien dans ma peau ?
Je n' suis pas bien dans ma peau !
Je n' sais pas ce qui me plaît,
Rien n'est jamais comme je voudrais...

Bien dans ma peau ?
Je n' suis pas bien dans ma peau !
Je voudrais vivre autre chose,
J'aimerais voir « la vie en rose » !

Bien dans ma peau ?

PROJET : RÉALISER UN SONDAGE – *BIEN OU MAL DANS SA PEAU ?**

1 Voici une liste d'affirmations. Reproduis sur une feuille les séries de cases et coche à chaque fois la case (la réponse) qui est vraie pour toi !

	oui	pas trop	pas du tout
1 J'ai des ami(e)s fidèles.	☐	☐	☐
2 Je peux facilement parler avec mes parents.	☐	☐	☐
3 Je me sens bien à l'école.	☐	☐	☐
4 Je suis content(e) de ma vie.	☐	☐	☐
5 Je me sens souvent sous pression, stressé(e).	☐	☐	☐
6 J'ai des difficultés à aller vers les autres.	☐	☐	☐
7 Souvent, je me sens mal dans ma peau.	☐	☐	☐

2 Résume les résultats de cette première partie du sondage !

1 Compare d'abord tes réponses avec celles de ton voisin ou de ta voisine !
2 Ensuite, par groupes de 4, 5 ou 6 élèves, calculez le nombre de cases cochées pour chaque affirmation !
3 Faites ensuite le total pour toute la classe et calculez les pourcentages !
4 Écrivez-les sur une affiche et présentez-les !

Exemples : 92 % des élèves de la classe ont des ami(e)s fidèles. – 79 % des élèves de la classe peuvent facilement parler avec leurs parents, 19 % ont des difficultés et 2 % n'arrivent pas du tout à parler avec eux. – 86 % se sentent bien à l'école, etc.

Qu'est-ce que c'est pour toi être « bien dans sa peau » ?

3 Pour répondre à cette question, reproduis les 11 ou 12 cases sur une feuille et donne une note de 1 à 10 à chaque affirmation ! Ajoute une phrase, si tu le veux !

☐ **A** Avoir de bonnes relations avec mes parents, ma famille.

☐ **B** Avoir de bonnes relations avec mes amis, mes camarades.

☐ **C** Avoir de bonnes relations avec mes professeurs.

☐ **D** Avoir des activités ou des loisirs (sorties, sport) en dehors de la maison ou du collège (du lycée).

☐ **E** Avoir une bonne hygiène de vie (sommeil, propreté, alimentation équilibrée).

☐ **F** Pouvoir aider mes parents, ma famille, mes amis dans des moments difficiles.

☐ **G** Pouvoir aider des personnes en difficulté au quotidien (pauvres, malades, handicapés, personnes âgées, etc.).

☐ **H** Faire partie d'une association (protection de la nature, action caritative, action humanitaire, etc.).

☐ **I** Avoir de bonnes conditions de vie et de travail à la maison (vivre et travailler dans une maison confortable).

☐ **J** Avoir de bonnes conditions de vie et de travail au collège, au lycée (vivre et travailler dans un collège/lycée agréable et pratique).

☐ **K** Avoir de bons résultats scolaires.

☐ **L** ...

4 Résume les résultats de cette deuxième partie du sondage !

1 Compare d'abord tes réponses avec celles de ton voisin ou de ta voisine !
2 Ensuite, par groupes de 4, 5 ou 6 élèves, additionnez le nombre de points obtenus pour chaque affirmation !
3 Faites le total pour toute la classe et déterminez quelles affirmations ont obtenu les trois meilleurs résultats !
4 Ajoutez ces résultats sur l'affiche ! Présentez votre sondage et ses résultats (faites un Powerpoint) ou publiez-le dans le journal / la page web du collège !

Exemple : Pour les élèves de la classe, être « bien dans sa peau » c'est d'abord avoir une bonne hygiène de vie, mais aussi de bonnes relations avec ses parents et sa famille, etc.

*D'après un sondage IPSOS/Fondation Wyeth pour le *Forum adolescences 2008*.

Bourges

1 🎧📖💬 **Remplace ✳✳✳ par** *ce qui* **ou** *ce que*, **puis écoute le texte et présente Yousra !**

Bonjour à toutes et à tous ! Je m'appelle Yousra ! Je vis avec mes parents à **Bourges**, la ville du festival de musique. C'est dans la région **Centre**. Mes parents sont venus tous les deux de Tunisie, il y a vingt ans. Mon père est garagiste et ma mère enseigne la conduite et le code de la route dans une auto-école. Je ne peux pas encore passer mon permis de conduire, je suis trop jeune. Je vais passer mon brevet de sécurité routière : ✳✳✳ je voudrais, c'est conduire un scooter. ✳✳✳ me plaît dans le scooter, c'est la liberté : pouvoir faire ✳✳✳ je veux, quand je veux. Mes parents disent que les scooters sont dangereux... Je ne sais pas si c'est vrai, mais ✳✳✳ est sûr, c'est qu'il y a des conducteurs agressifs, mal dans leur peau !

Et toi, tu conduis un vélo, un scooter ? ... Tu fais du skate-board ? du roller ? ... Tu prends le bus, le tram ? ... Alors, tu connais déjà la conduite et ses règles ! Réponds au test que j'ai imaginé pour toi ! Si tu obtiens 10 points, tu es un « as » du code de la route !

2 💬📖💬💬 **Lis et associe avec le bon panneau ! Puis compare tes résultats avec ton voisin ou ta voisine ! Exemple :** E-2

1 J'arrive à un feu rouge.
2 Je dois ralentir.
3 Je ne peux pas me garer.
4 Je ne peux pas aller à droite.
5 Je dois faire attention aux vélos.
6 Je peux faire le plein d'essence.
7 Je ne peux pas prendre cette rue.
8 Je peux manger dans un restoroute.
9 Je ne peux pas faire demi-tour.
10 Je dois m'arrêter.

3 💬📖💬 **Choisis maintenant les trois documents que tout(e) bon(ne) automobiliste français(e) doit avoir sur lui (ou sur elle) et explique tes choix !**

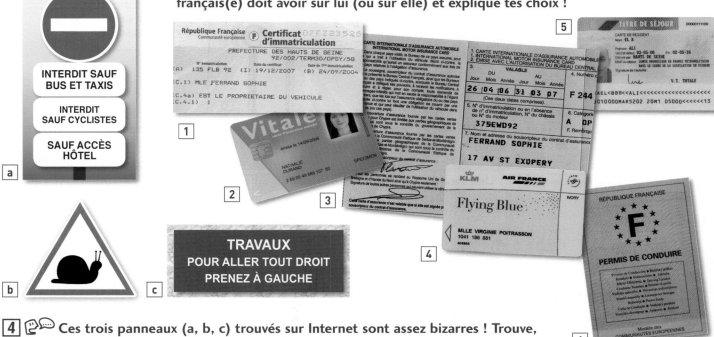

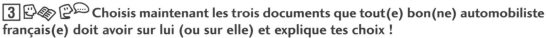

4 💬 **Ces trois panneaux (a, b, c) trouvés sur Internet sont assez bizarres ! Trouve, toi aussi, des panneaux de signalisation insolites et présente-les !**

Bien dans ma peau ?

Aux champs*

🎧 💬 Écoute et regarde ! Puis imagine la suite de l'histoire !

40

*D'après le conte de Guy de Maupassant (1882)

Communication

Tu sais maintenant…

■ **exprimer un désaccord total, refuser :**
Non, pas du tout ! Non, pas question !

■ **exprimer ta certitude :**
C'est sûr !

■ **exprimer le plaisir, la joie, le bonheur :**
C'est fabuleux, fantastique, formidable, magnifique !

■ **exprimer le bien / le mal être :**
Je ne sais pas ce que j'ai. Je suis bien / mal dans ma peau.

■ **observer des instructions (signalisations) :**
J'arrive à un feu rouge. Je dois ralentir. Je dois m'arrêter. Je ne peux pas me garer. Je ne peux pas faire demi-tour. Chantier interdit au public. Danger !

■ **répondre à une présentation :**
Enchanté(e) ! – Très heureux, très heureuse !

Vocabulaire

Transports et code de la route

l'auto-école (f.)	la conduite	la règle	le skate-board
l'automobiliste (m. et f.)	le danger	le restoroute	la station-service
le brevet de sécurité routière	le feu rouge	le roller	le stationnement interdit
le bus (U2)	le garagiste	la roue	le stop
la carte d'assurance	le panneau de signalisation	le scooter (U 2)	le tram(way)
le certificat d'immatriculation	le permis de conduire	le sens interdit	le vélo
le code de la route	le plein d'essence	le sens unique	la voiture

Vie sociale

l'association (f.)	la difficulté	le prix	le résultat
la condition (de travail)	l'hygiène de vie (f.)	la relation	le talent

Verbes

abandonner	conduire	faire demi-tour	réparer
adopter	emmener (U 4)	se garer	se sentir (bien, mal)
s'arrêter	être bien (mal) dans sa peau	passer (le permis)	vendre
(se) casser	se fâcher	ralentir	(faire) vérifier

Adjectifs

agressif / agressive	dur(e) avec	généreux / généreuse	nerveux / nerveuse
amoureux / amoureuse de	fabuleux / fabuleuse	gentil(le) avec	nul(le) en
bête	fantastique (U 2)	heureux / heureuse de	pauvre
bizarre	fidèle à	jaloux / jalouse de	pénible
célèbre pour	fier / fière de	magnifique (U 2)	stressé(e)
content(e) de	formidable	méchant(e) avec	sympa avec
dangereux / dangereuse	fort(e) en	moche	têtu(e)

Grammaire

Constructions adjectivales (adjectifs + préposition)

■ *Adjectifs suivis de la préposition* **à** *: fidèle, prêt, etc.*
Il est fidèle **à** ses amis.

■ *Adjectifs suivis de la préposition* **avec** *: dur, gentil, méchant, sympa(thique), etc.*
Il est sympa **avec** tout le monde.

■ *Adjectifs suivis de la préposition* **de** *: amoureux, content, fier, heureux, jaloux, etc.*
Tu es jaloux **de** Max ?

■ *Adjectifs suivis de la préposition* **en** *: fort, nul, etc.*
Il est très fort **en** musique.

■ *Adjectifs suivis de la préposition* **pour** *: célèbre, etc.*
Tu peux être célèbre **pour** tes chansons !

ce qui et *ce que* dans l'interrogation indirecte

■ **Qu'est-ce que** *pose une question sur le COD :*
Qu'est-ce que tu as acheté ? un vélo ou un scooter ? – J'ai acheté un scooter.
Dans l'interrogation indirecte, **qu'est-ce que*** *devient* **ce que*** *:*
« **Qu'est-ce que** tu as acheté ? » → Je me demande **ce que** tu as acheté.

■ **Qu'est-ce qui** *pose une question sur le sujet :*
Qu'est-ce qui est plus dangereux ? le vélo ou le scooter ? – Le scooter est plus dangereux.
Dans l'interrogation indirecte, **qu'est-ce qui** *devient* **ce qui** *:*
« **Qu'est-ce qui** est plus dangereux ? » → Je veux savoir **ce qui** est plus dangereux.

ce qui et *ce que* dans la relative

■ *Le pronom* **ce que*** *remplace le COD :*
J'ai acheté un scooter ? J'achète **ce que** je veux.

■ *Le pronom* **ce qui** *remplace le sujet :*
Ce qui me plaît dans le scooter, c'est la liberté.

***qu'** devant* **a, e, i, o, u, y** *ou un* **h** *muet.*

Phonétique

L'accent d'insistance

Stratégies

Pour mieux utiliser un dictionnaire…

Si tu ne comprends pas le sens d'un mot (*prix*, par exemple), tu peux utiliser un dictionnaire bilingue :
1 Cherche le mot (*prix*).
2 Tu vois le mot écrit, suivi de sa prononciation [pʀi] et de son genre : *m* ou *nm* (nom masculin).
3 Puis tu vois différentes traductions possibles, car le mot a plusieurs sens (*coût*, *importance* ou *récompense*). Alors, appuie-toi sur le contexte de la leçon pour déduire le sens du mot !

Culture et civilisation

L'Île-de-France et le Centre

Fais une recherche sur ces châteaux français célèbres : trois d'entre eux sont des « châteaux de la Loire ».

Écris leur nom et une petite anecdote sur chacun d'eux en français !

Changer de "look" ?

1 Écoute bien ! Puis décris le nouveau « look » de Joséphine ! Qu'est-ce que tu en penses ?

Image 1

Agathe : L'audition de Théo pour le festival, c'est dans une heure : vous êtes prêtes, les filles ?

Léa : Joséphine, tu ne peux pas y aller comme ça ! Agathe, passe-moi ta trousse de maquillage !

Image 2

Léa : Assieds-toi ici. Je réfléchis un peu... D'abord, je noircis les yeux : ça les agrandit ! Ensuite, j'épaissis les sourcils avec le crayon et les cils avec du mascara...

Image 3

Léa : Un peu de rouge, là, sur les lèvres... Et je finis avec de la poudre pailletée sur le front, le nez, les joues, le menton et le cou...

Image 4

Léa : Alors ? Elle a changé de look, hein ?

Agathe : C'est vrai ! Avant tu étais... moche, enfin... euh... tu avais le look d'une petite fille, et maintenant...

Image 5

Léa : Attends ! Je n'ai pas fini : il faut aussi changer cette coiffure ! Passe-moi ta brosse à cheveux, Agathe !

Image 6

Max : Ouah ! Ça, c'est du relooking total ! Avant tu étais... euh...

Joséphine : Oui, je sais, avant j'avais le look d'une petite fille...

Stanislas : Et maintenant, Joséphine, on peut enfin voir la star qui était en toi !

2 L'imparfait → Regarde l'exemple et complète à l'oral ! Puis écoute le CD pour vérifier tes réponses !

Exemple : Avant, j'<u>étais</u> petite et moche, mais maintenant, je **suis** une star !

> **L'imparfait**
> Ajouter au radical de la 1re personne du pluriel au présent la terminaison -ais (pour la 1re personne du singulier) :
> avoir → nous avons → j'avais
> **Exception : être → j'étais**

1 Avant, j'**...** au collège en bus, mais maintenant, je **vais** au collège en voiture de sport !

2 Avant, je **...** aux questions de mes professeurs, mais maintenant, je **réponds** aux questions des journalistes !

3 Avant, je **...** mes vacances à l'Île de Ré, mais maintenant, je **passe** mes vacances à Las Vegas !

4 Avant, j'**...** dans un petit appartement, mais maintenant, j'**habite** dans une grande maison !

5 Avant, j'**...** timide et mal dans ma peau, mais maintenant, je **suis** fascinante !

6 Avant, j'**...** un frère idiot et deux copines, mais maintenant, j'**ai** trois millions d'amis !

Maintenant, je suis une star !

PROJET DE L'UNITÉ : RÉALISER UNE INTERVIEW

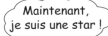

3 📖 💬 **L'imparfait** → Regarde bien l'aide-mémoire et complète les verbes à l'oral !

Joséphine continue à « faire le point »...

1 « Avant tu ét**...** moche », m'a dit cette peste d'Agathe !

2 Oui, avant j'av**...** le look d'une petite fille !

3 Mais maintenant, on peut enfin voir la star qui ét**...** en moi !

4 Avant, mon frère et moi, nous nous détest**...** !

5 Mais, vous aussi, vous m'énerv**...** !

6 Non, les gens ne croy**...** pas à mon formidable talent !

> **L'imparfait** (suite)
> Radical de la 1re personne du pluriel au présent
> + terminaisons au singulier : **-ais, -ais, -ait**
> + terminaisons au pluriel : **-ions, -iez, -aient**

4 📖 💬 **Les pronoms démonstratifs** → Regarde l'exemple et complète à l'oral avec *celui, celle, ceux, celles, celui-là, celle-là, ceux-là* ou *celles-là* !

Exemples : Je n'ai pas de trousse de maquillage. → Prends <u>celle</u> d'Agathe ! – C'est bien cette trousse ? → Oui, c'est <u>celle-là</u> !

1 J'ai oublié mes lunettes. → Prends **...** de ton frère !

2 C'est bien cette coiffure que tu veux ? → Oui, c'est **...** !

3 Je ne peux pas mettre ces gants, ils sont trop petits. → Alors, mets **...** de ta sœur !

4 Ce pull ne me va pas. → Essaie **...** !

5 Sur cette photo à gauche, c'est moi. → Sur **...** de droite, c'est ta cousine ?

6 Ces couleurs te plaisent ? → Oui, mais je trouve **...** encore plus belles !

7 Tu n'aimes pas le chapeau de d'Artagnan ? → Non, je préfère **...** d'Indiana Jones !

8 Ces vêtements sont trop moches ! → Alors, mets **...** !

5 📖 📝 **Les pronoms démonstratifs** *celui(-ci), celui(-là), celle(-ci), celle(-là)...* → Écoute, lis et associe aux « photos » ! Exemple : 1-B

1 Celui-ci a les cheveux bouclés et courts.

2 Celle-là a les cheveux raides et longs.

3 Celle de gauche a les cheveux frisés.

4 Celui de droite a les cheveux souples.

5 Celle-ci a une coiffure classique.

6 Celui-là a une coiffure originale.

A   B   C   D   E   F

6 🎧 📖 📝 **Les verbes du 2e groupe en** *–ir* → Recopie les verbes sur une feuille. Écoute le CD et souligne les verbes du 2e groupe utilisés dans les phrases !

| choisir | découvrir | dormir | finir | grandir | ~~noircir~~ | obéir | offrir |
| ouvrir | ~~partir~~ | punir | ~~réfléchir~~ | réussir | sortir | ~~tenir~~ | venir |

Les verbes du 2e groupe en *–ir* :
Dans ce groupe de verbes, *-iss* est ajouté après le radical aux trois personnes du pluriel :
nous finissons, vous finissez, ils / elles finissent

Exemples :
Ils <u>réfléchissent</u> (verbe du 2e groupe) d'abord. Ils ne partent pas (verbe du 3e groupe) tout de suite.
Vous tenez (verbe du 3e groupe) bien le crayon. Ensuite, vous <u>noircissez</u> (verbe du 2e groupe) les yeux.

Changer de "look" ?

1 Remplace ✳✳✳ par *celui, celle, ceux* ou *celles*, puis écoute le texte et présente Anaëlle !

Bonjour ! Moi, c'est Anaëlle ! J'habite à **Lyon**, dans la région **Rhône-Alpes**. C'est la troisième ville de France avec 468 000 habitants, après Paris qui compte 2 167 000 habitants et Marseille qui en compte 827 000. Lyon est une ville célèbre pour son architecture, sa gastronomie, mais aussi pour une marionnette, *Guignol*. Quand j'étais enfant, j'allais souvent au théâtre pour voir ses aventures : j'avais quatre ou cinq ans et j'adorais les masques et les marionnettes !

Guignol

C'est peut-être pour cela que, maintenant, j'adore les bals masqués et les maquillages ! J'aime changer de look : j'aime changer de tête, de coiffure, de vêtements, changer les couleurs que je porte. Avant, ma couleur préférée, c'était le vert. Maintenant, c'est le jaune !

Changer de look ? C'est le métier des acteurs ou des actrices ! Regarde ces trois photos de Marion Cotillard, une actrice française : sur ✳✳✳ de gauche elle est blonde, sur ✳✳✳ du milieu elle est brune et sur ✳✳✳ de droite, on la voit dans le rôle d'Édith Piaf, une célèbre chanteuse française. C'est pour ce rôle que Marion a reçu en 2008 l'Oscar de la meilleure actrice dans le film *La Môme* (dont le titre est aussi *La Vie en Rose*). Oui, sur cette photo-là, c'est Marion, mais après cinq heures de maquillage ! Elle a les cheveux longs et souples. ✳✳✳ d'« Édith Piaf » sont mi-longs et frisés. Marion a les lèvres roses, ✳✳✳ de la chanteuse sont très rouges. Le regard de Marion est doux, ✳✳✳ d'« Édith Piaf » est assez dur. Quelle métamorphose !

Le maquillage c'est comme des « retouches » sur les photos des parents ou des amis : on peut les embellir, les enlaidir, les vieillir ou les rajeunir ! Sur ✳✳✳ de mes amis, je change leur coiffure, j'agrandis leurs yeux. Regarde cette photo : c'est ✳✳✳ de ma meilleure amie ! Qu'est-ce que tu en penses ?

2 Réponds aux questions !

1 Est-ce que la ville où habite Anaëlle est une ville importante ?

2 Pourquoi est-ce qu'elle adore maintenant les bals masqués et les maquillages ?

3 Quand tu étais enfant, tu allais au théâtre de marionnettes, au cirque, au parc ?

4 Tu connais des acteurs et des actrices qui changent de look pour leurs rôles ? Trouve des photos et présente-les à la classe !

5 Toi aussi, tu transformes les photos de tes copains ou de tes copines ? Tu les embellis ? Tu les enlaidis ? Tu les rajeunis ? Tu les vieillis ? Explique !

6 L'apparence (le look), les vêtements, les marques, la coiffure, c'est important pour toi ? Oui ? Non ? ... Pourquoi ?

3 Phonétique → La graphie <ill> et les sons [l] et [j] : Lève la main quand tu entends le son [l] ! Puis chante le rap !

Cette fille de la ville n'a pas embelli : le maquillage de ses sourcils la vieillit !

Changer de "look" ?

PROJET : RÉALISER UNE INTERVIEW – *TON LOOK*

1 Recopie ou photocopie les questions (ajoute ou supprime des questions, si tu le souhaites) !

Tu étais comment il y a cinq ans ?

1 Tu avais quel âge ?

2 Tu avais les cheveux courts ? mi-longs ? longs ?

3 Comment s'appelait ton école ?

4 Tu étais dans quelle classe ?

5 Tu apprenais déjà le français ?   Oui ☐   Non ☐

6 Tu faisais du sport ?   Oui ☐   Non ☐

Si oui, lequel ?

7 Qu'est-ce que tu aimais faire ? jouer ? dessiner ? lire ?

8 Quelle musique (ou chanteur/euse) tu aimais écouter ?

9 Tu aimais quelle(s) couleur(s) ?

10 Tu portais quel type de vêtements ? jean ? tee-shirt ?

11 À l'école, tu portais un uniforme ?   Oui ☐   Non ☐

12 Tu peux définir ton look actuel ?   classique ☐   à la mode ☐   sportif ☐   original ☐   autre ☐

Tu veux changer de look ?   Oui ☐   Non ☐

Oui, tu veux changer de look, parce que

...tu veux faire une surprise à tes amis.   Oui ☐   Non ☐

...tu as envie de te sentir mieux dans ta peau.   Oui ☐   Non ☐

...tu ne veux plus avoir l'air d'un(e) enfant.   Oui ☐   Non ☐

...tu as envie d'acheter des nouveaux vêtements.   Oui ☐   Non ☐

...tu voudrais changer de coiffure.   Oui ☐   Non ☐

... tu veux changer de look pour une occasion
spéciale (une fête, un anniversaire, une sortie).   Oui ☐   Non ☐

...tu as envie de changer de look parce que c'est amusant !   Oui ☐   Non ☐

Non, tu ne veux pas changer de look, parce que

...cela ne t'intéresse pas.   Oui ☐   Non ☐

...tu n'aimes pas les surprises.   Oui ☐   Non ☐

...tu te sens bien comme tu es.   Oui ☐   Non ☐

...tu n'as pas envie d'acheter des nouveaux vêtements.   Oui ☐   Non ☐

...tu n'as pas envie de changer de coiffure.   Oui ☐   Non ☐

...tu veux garder ton look, même pour une occasion
spéciale (une fête, un anniversaire, une sortie).   Oui ☐   Non ☐

...tu n'as pas envie de changer parce que c'est fatigant !   Oui ☐   Non ☐

2 Pose les questions à trois camarades (ou plus) dans ta classe ou dans une autre classe de français de ton collège ! Compare les réponses ! Écris ensuite un résumé pour chacune de tes interviews ! Puis publie tes interviews et/ou présente-les devant la classe !

Exemple : Il y a cinq ans, Tidjane avait 9 ans. Il avait les cheveux courts, comme aujourd'hui. Il était à l'école X. Il faisait déjà du foot ! (...) Il voudrait changer de look, mais seulement pour une occasion spéciale ou pour faire une surprise à ses amis, etc.

Le masque*

Écoute et regarde ! Transforme le texte des images 1 à 10 au présent ! Puis décris l'homme au masque !

1 Il y avait ce soir-là un bal masqué au Moulin-Rouge[1]. Un homme étrange est entré.

2 Il portait sur le visage un masque verni à moustache blonde et sur la tête une perruque bouclée.

3 Il a bondi sur la piste et a commencé à danser comme une marionnette...

4 Les gens autour de lui applaudissaient et riaient.

5 Tout à coup, il s'est évanoui. On est allé chercher un médecin...

6 Le médecin a essayé d'enlever le masque et la perruque, mais ils étaient attachés au visage par des fils de métal.

7 Finalement, il a réussi !

8 Mais derrière le masque, il y avait le visage maigre et fatigué d'un vieil homme !

9 Personne ne riait, personne ne disait un mot... On regardait ce triste visage aux yeux fermés et à côté de lui, le joli masque verni qui souriait toujours...

*D'après le conte de Guy de Maupassant (1889)

1. Le Moulin-Rouge : *Créé en 1889 à Paris, il a d'abord été une salle de bal et est devenu ensuite une salle de spectacle.*

2. danser comme un « beau diable » : *danser avec beaucoup d'énergie.*

Communication

Tu sais maintenant...

■ **décrire une personne :**
Celui-ci a les cheveux bouclés et courts.

■ **évoquer un événement habituel au passé :**
Quand j'étais enfant, j'allais souvent au théâtre.

■ **faire une description au passé :**
Avant, tu étais moche.
Derrière le masque, il y avait le visage d'un vieil homme.

■ **demander à quelqu'un de te prêter quelque chose :**
Passe-moi ta trousse de maquillage !

■ **demander une confirmation de manière informelle :**
Elle a changé de look, hein ?

■ **conclure un récit :**
Finalement, il a réussi !

Vocabulaire

Visage, théâtre et maquillage

l'acteur (*m.*), l'actrice (*f.*)	le cou	la marque (de vêtement)	la poudre
l'apparence (*f.*)	le front	le mascara	le relooking
l'artiste (*m.* ou *f.*)	la joue	le masque	la retouche
le bal masqué	la lèvre	le menton	le sourcil [sursi]
la brosse (à cheveux)	le look	la moustache	la star
le cil [sil]	le maquillage	l'œil (*m.*) *pl* : les yeux	la trousse (de maquillage)
la coiffure	la marionnette	la perruque	le visage

Verbes

agrandir	embellir	finir	réussir
applaudir	enlaidir	noircir	rire
bondir	enlever	passer	sourire
changer	épaissir	rajeunir	transformer
choisir	s'évanouir	réfléchir	vieillir

Adjectifs

amusant(e)	épais / épaisse	important(e)	raide
beau / bel / belle	étrange	jeune	souple
bouclé(e)	fascinant(e)	long / longue	sportif / sportive
célèbre (U 5)	fatigant(e)	maigre	triste
classique	fatigué(e)	original(e)	vieux / vieil / vieille (U 2)
court(e)	frisé(e)	prêt(e)	

Adverbes et pronoms

d'abord	celui(-ci, -là)	ensuite	là (U 4)
avant	ceux(-ci, -là)	finalement	maintenant (U 2)
celle(-ci, -là)	(à) droite	(à) gauche	souvent
celles(-ci, -là)	enfin	ici (U 4)	tout à coup (U 2)

Grammaire

Les verbes du 2ᵉ groupe : *choisir, finir, noircir, réussir, etc.*

■ *Dans ce groupe de verbes, le suffixe –iss est ajouté après le radical aux trois personnes du pluriel :*
je finis, tu finis, il / elle / on finit, nous fin**iss**ons, vous fin**iss**ez, ils / elles fin**iss**ent

■ *À ne pas confondre avec les verbes du 3ᵉ groupe comme* dormir, partir, sortir, *etc. :*
je pars, tu pars, il / elle / on part, nous partons, vous partez, ils / elles partent

■ *La terminaison du participe passé est toujours en* **–i** *:*
Tu as chois**i** ? – Oui, ça y est, j'ai fin**i** !

L'imparfait

■ *Il sert, au passé, à faire une description, à exprimer une habitude (ou un événement interrompu par un autre événement, voir unité 7).*
Avant, **j'allais** au collège en bus.

■ *Il se forme en ajoutant au radical de la 1ʳᵉ personne du pluriel au présent les terminaisons* **-ais, -ais, -ait, -ions, -iez, -aient** :

infinitif	présent : nous	imparfait
avoir	**av**ons	j'av**ais**
croire	**croy**ons	tu croy**ais**
faire	**fais**ons	il / elle / on fais**ait**
finir	**finiss**ons	nous finiss**ions**
prendre	**pren**ons	vous pren**iez**
vouloir	**voul**ons	ils / elles voul**aient**

Exception avec le verbe être :
j'**étais**, tu **étais**, il / elle / on **était**, nous **étions**, vous **étiez**, ils / elles **étaient**

Les pronoms démonstratifs

singulier		pluriel	
masculin	féminin	masculin	féminin
celui-ci, celui-là	celle-ci, celle-là	ceux-ci, ceux-là	celles-ci, celles-là
celui de...	celle de...	ceux de...	celles de...
celui qui...	celle qui...	ceux qui...	celles qui...

Regarde ces photos ! Sur **celle-ci**, elle est blonde. Sur **celle** de droite, elle est brune.

Phonétique

La graphie <ill> et les sons [l] et [j]

Stratégies

Pour mieux t'entraîner à parler...

Prépare ce que tu vas dire dans ta tête. Fais des phrases courtes. S'il te manque un mot, remplace-le par un synonyme ou par son contraire et ajoute aussi des expressions comme *comment on dit déjà..., euh..., je veux dire...*, qui te permettent de gagner du temps et de réfléchir.

Culture et civilisation

Des Lyonnais célèbres

François Rabelais

Auguste et Louis Lumière

Antoine de Saint-Exupéry

Paul Bocuse

Fais une recherche sur ces célébrités de Lyon ! Quels sont les gens célèbres de ta ville ou de ta région ?

Présente-les en français !

On révise et on s'entraîne pour le DELF A2 !

Nom : .... Prénom : ....

Compréhension de l'oral (25 points)

[1] Avec ton copain ou ta copine, tu veux aller voir *La Môme*, un film sur la vie d'Édith Piaf. Vous ne pouvez y aller que demain vendredi, à 18 h 30. Écoute les répondeurs des cinémas ! Dans quel cinéma allez-vous voir le film ? Tu as deux écoutes !

☐ Le cinéma Champs-Élysées   ☐ Le cinéma Cosmos   ☐ Le cinéma Opéra

[2] Écoute l'émission *Mon coach maquillage* ! À quel maquillage de fête correspondent les explications ? Coche la bonne case ! Tu as deux écoutes !

☐ Maquillage A   ☐ Maquillage B   ☐ Maquillage C

Compréhension des écrits (25 points)

[1] Lis ce document ! Puis coche les bonnes phrases !

LE GUIDE DE L'ÉCO-MOBILITÉ

AU TRAVAIL AUTREMENT…
Tous les jours, des millions de voitures roulent dans les rues de nos villes avec, souvent, un conducteur seul à bord ! Résultat : des embouteillages, de la pollution, la peur d'arriver en retard et des problèmes de stationnement… La voiture n'est pas efficace, elle coûte cher et elle nous oblige à rester immobile, ce qui n'est pas bon pour la santé.
▶ **LES SOLUTIONS :** Prendre le bus, le tramway ou le métro, utiliser le covoiturage ou le vélo !

À L'ÉCOLE AUTREMENT…
Conduire ses enfants à l'école en voiture représente des risques d'accidents, une perte de temps, un gaspillage d'énergie. Les enfants sont ainsi habitués à prendre la voiture sur de courtes distances ; plus tard, ils auront du mal à perdre le réflexe « tout-voiture »…
▶ **LES SOLUTIONS :** Le *carapatte* ou le *caracycle* : des parents d'élèves accompagnent un groupe d'enfants à pied ou à vélo sur le trajet de l'école, en « caravane ». Cela rend peu à peu l'enfant autonome dans ses déplacements à pied ou à vélo, ce qui lui servira plus tard pour aller au collège et ensuite au lycée !

LES LOISIRS AUTREMENT…
Nous partons souvent tous en même temps en week-end ou en vacances. Le trafic et le stationnement deviennent un enfer. Pourtant, ce que nous voulons, c'est le calme, la découverte des paysages, l'air pur… pas la pollution et le bruit !
▶ **LES SOLUTIONS :** Prendre le train, pratiquer le covoiturage ou l'autopartage (une voiture en libre-service) ou pratiquer le vélotourisme !

---

d'après www.bougezautrement.gouv.fr

1 ☐ Ce document est un code de la route.
2 ☐ Il faut utiliser la voiture le moins possible.
3 ☐ Il ne faut pas conduire ses enfants à l'école.
4 ☐ Il faut partir moins souvent en vacances.

5 ☐ Le carapatte, c'est conduire ses enfants en car (en bus).
6 ☐ Le covoiturage, c'est avoir deux ou trois voitures.
7 ☐ Les enfants doivent apprendre à être autonomes.
8 ☐ Il faut changer nos comportements.

2 📖📚 Associe chaque panneau à la phrase correspondante !

1 Il est interdit de manger et de boire.

Panneau ...

2 Éteignez votre téléphone portable !

Panneau ...

3 Attention, vous ne devez pas vous garer ici !

Panneau ...

4 L'entrée est interdite aux personnes non autorisées.

Panneau ...

5 Il est interdit de prendre des photos.

Panneau ...

6 Il n'est pas possible de faire du roller.

Panneau ...

Production écrite (25 points)

1 📝✏️ Ton copain (Ta copine) Camille t'a écrit. Tu lui réponds pour le (la) réconforter et l'encourager ! (70-80 mots)

À :	
Copie :	
Objet :	Besoin d'aide

Salut à toi !
En ce moment, ça ne va pas. Je ne me sens pas bien dans ma peau. Je ne peux pas parler avec mes parents, ils ne me comprennent pas. Mon petit frère est vraiment pénible, il m'énerve. Bref, ma famille est nulle ! Au collège, je n'ai pas eu de très bons résultats : je n'ai peut-être pas assez travaillé ? Et puis, je mange trop, je devrais arrêter, mais comment ? Donne-moi ton avis, j'ai besoin de ton aide !
Camille

2 📝✏️ **Tu viens de passer une journée sur une plage, en plein hiver ! Tu décris dans ton journal ou sur ton blog ce que tu as fait et ce que tu as vu, mais aussi tes impressions ! (70-80 mots)**

Hier, j'étais sur la plage de ... . Il faisait froid ! J'ai ... (marché..., vu..., trouvé..., etc.)

Production et interaction orales (25 points)

1 💬 **Présente tes activités de loisirs : sorties, sports, lectures !**

Ce qui m'intéresse, c'est ... . Ce que j'aime, c'est ... . Ce que je préfère, c'est ... . Mais, j'ai horreur de ... !

2 💬 **Tu voudrais un scooter pour ton anniversaire ! Mais ton père (ta mère) [= ton professeur ou l'examinateur / -trice !] n'est pas du tout d'accord. Il (elle) trouve que c'est dangereux, polluant et vraiment pas économique. Tu essaies de le (la) convaincre !**

Ce que je voudrais pour mon anniversaire, c'est un scooter ! – Mais les scooters sont dangereux ! – Non, ils ne sont pas plus dangereux que ... etc.

On prend le train…

1 🗨️ Écoute et explique pourquoi les amis vont à Nancy !

Le lendemain à la gare…

Deux heures plus tard…

Image 1

Stanislas : Mes grands-parents nous invitent à Nancy ! Vous savez, ce sont eux qui sont animateurs radio… Ils veulent faire toute une émission sur vos aventures ! Nancy est seulement à 1 heure 30 en train, et le train est direct ! Et puis, je voudrais vous faire une surprise…

Image 2

Joséphine : D'accord, on y va tout de suite !

Léa : Extra ! J'adore le train ! Max, c'est toi qui t'occupes de réserver les billets !

Max : OK, j'essaie de les réserver sur Internet.

Agathe : Moi, je me dépêche d'aller faire ma valise…

Théo : Alors à demain, à la gare !

Image 3

Théo : Le départ, c'est sur la voie 29. Vite, dépêche-toi, sinon on va rater le train !

Agathe : Ça va ! On est à l'heure…

Max : J'ai les billets : non, je n'oublie pas de les composter !

Image 4

Léa : Je prends la place près de la fenêtre : j'ai horreur du couloir…

Théo : Donne ta valise, Agathe, je vais essayer de la mettre là-haut.

Joséphine : Ça y est, on est déjà parti !

Image 5

Stanislas : Regardez ! C'est MA place, la place Stanislas : elle est sur la liste du patrimoine mondial de l'humanité* !

Joséphine : Et, toi aussi, tu es sur la liste ?

2 🗨️📖 Écoute et lis le récit de Léa : vrai ou faux ? Puis relève les verbes suivis de la préposition *de* et fais-en une liste !

1 Alors voilà… Avant-hier, vendredi, Stanislas nous a proposé d'aller à Nancy pour voir ses parents.

2 Il nous a aussi promis de nous faire une surprise.

3 On a décidé de partir en train le lendemain.

4 Agathe s'est dépêchée d'aller faire sa valise et on est partis hier après-midi, dimanche.

5 Tout le monde a essayé d'arriver en avance à la gare.

6 Max devait s'occuper de réserver les billets.

7 Mais il a oublié de les composter !

8 Quand on est arrivés à Nancy, Stanislas nous a demandé de le suivre et il nous a montré SA place, *la place Stanislas* ! Trop cool !

Nancy : la place Stanislas

I ♥ NY ANCY

*La liste du patrimoine mondial de l'humanité : établie par l'UNESCO, elle répertorie les sites culturels ou naturels pour l'héritage commun de l'humanité.

3 💬 **Complète à l'oral par les prépositions *de* ou *à* !**

1 Je n'arrive jamais … être à l'heure au collège !
2 Hier, j'ai essayé … partir plus tôt de chez moi.
3 Mais j'ai oublié … prendre mon portable.
4 Alors, je me suis dépêché … rentrer à la maison.
5 J'ai cherché partout, mais je n'ai pas réussi … le trouver.
6 Je promets … ne pas être en retard demain !

4 💬 **Écoute et repère ! Vrai ou faux ? Tu as deux écoutes !**

5 📖💬 **Lis les aide-mémoire ! Puis complète à l'oral avec les jours de la semaine ou les adverbes de temps qui conviennent !**

Aujourd'hui c'est mardi, le musée du train est fermé. Hier c'était … , le musée était aussi fermé pour travaux.
… , c'était dimanche : le dimanche, il n'y a pas de visite ! Mais demain … et après-demain … , vous pouvez aller au musée, c'est ouvert !

> **avant-hier ← hier ← aujourd'hui → demain → après-demain**
> Aujourd'hui, c'est mercredi. Hier, c'était mardi et avant-hier c'était lundi. Demain c'est jeudi et après-demain, c'est vendredi !

hier matin	**ce** matin	**demain** matin
hier après-midi	cet après-midi	demain après-midi
hier soir	ce soir	demain soir

Hier, c'était lundi : … après-midi, j'ai réservé mon billet pour Marseille et hier … , j'ai fait mes bagages. … matin, j'ai pris le train et j'arrive cet … . Mais je dois déjà repartir mercredi, c'est-à-dire … soir ! Qu'est-ce que je vais faire … soir ? Demain … , je dois me lever tôt, je ne peux pas trop regarder la télé !

6 📖❓💬 ***C'est … qui* → Écoute l'exemple ! Puis travaille (A) avec deux voisins ou voisines (B et C) !**

Exemple : (faire les courses) →   **A** C'est toi qui fais les courses aujourd'hui !
    B Ah non ! C'est déjà moi qui ai fait les courses hier !
    C Du calme ! Aujourd'hui, c'est vous deux qui faites les courses !
    A + B C'est nul ! C'est toujours nous qui faisons les courses !

1 (préparer le petit déjeuner) → **A** C'est toi qui … **B** Ah non ! C'est déjà moi qui … **C** Du calme ! Aujourd'hui, c'est vous deux qui … **A+B** C'est nul ! C'est toujours nous qui …
2 (sortir le chien) → **A** C'est toi qui … **B** Ah non ! C'est déjà moi qui … **C** Du calme ! Aujourd'hui, c'est … **A+B** C'est nul ! C'est…

On prend le train…

PROJET : FAIRE UNE RÉSERVATION SUR INTERNET

 **Voyages-train.com**

1 👂📖 Écoute et compare avec les informations données sur ce site de voyages !

Réservez votre billet de train

Départ (gare de)	☐
Arrivée (gare de)	☐
Aller le (date)	☐ Heure ☐
Retour le (date)	☐ Heure ☐

◉ Aller simple   ○ Aller-retour
◉ Tous les trains   ○ Trajet direct
Nombre de passagers ☐
Confort   ◉ 2e classe   ○ 1re classe
                 ◉ fenêtre   ○ couloir

[Rechercher]

Bons plans

Exclusif Internet !

Lille-Paris	**TGV** *	25,00 €
Lyon-Marseille	**TGV**	25,00 €
Paris-Bourges	Corail *	15,00 €
Angoulême-Marseille	**TGV** / Corail	40,00 €
Nancy-Lille	**TGV**	35, 00 €
Strasbourg-Metz	**Ter** *	10,00 €
Paris-Nice	**TGV**	50,00 €
Cannes-Lyon	**TGV**	35,00 €

Bon voyage !

2 📖🗣️ Travaille maintenant avec ton voisin ou ta voisine !

■ Choisis d'abord une destination et une date de voyage : tu peux choisir parmi les « bons plans » ou tu peux choisir une autre destination. Les tarifs (prix) de ces « bons plans » sont très bas. Les prix normaux sont deux ou trois fois plus chers... Mais attention ! Il n'y a pas beaucoup de places disponibles et il faut réserver très longtemps à l'avance !

■ Tu joues le client ou la cliente d'une agence de voyages. Ton voisin ou ta voisine joue l'employé(e). Il ou elle demande au (à la) client(e)...

1 ...sa ville ou sa gare de départ : *Quelle est votre ville de départ (De quelle gare partez-vous) ?*

2 ...sa destination (gare d'arrivée) et si c'est un aller-retour : *Quelle est votre destination ? C'est un aller simple ou un aller-retour ?*

3 ...la date et l'heure de l'aller : *Quand (À quelle date) est-ce que vous voulez partir ? À quelle heure ?*

4 ...la date et l'heure du retour, si c'est un aller-retour : *Quand (À quelle date) est-ce que vous voulez revenir ? À quelle heure ?*

5 ...s'il (elle) souhaite un trajet direct, c'est-à-dire sans correspondances : *Vous préférez un trajet direct ?*

6 ...le nombre de passagers : *Vous voyagez seul(e) ? Vous voyagez avec combien de personnes ?*

7 ...s'il (elle) veut voyager en 2e classe (économique) ou en 1re classe : *Vous préférez voyager en 2e classe ou en 1re classe ?*

8 ...quelle place il (elle) souhaite : *Vous voulez une place près de la fenêtre ou près du couloir ?* etc.

■ L'employé(e) lance ensuite sa « recherche » et annonce les résultats au (à la) client(e) : *C'est parfait, il y encore de la place !* ou bien : *Désolé(e), il n'y a plus de place : modifiez votre date de départ ou votre destination !* etc.

■ Tu peux aussi jouer à réserver ton billet sur Internet ! Tu peux choisir parmi les sites de voyages en train suivants :

www.voyages-sncf.com (France)   www.sbb.ch/fr (Suisse)   www.b-rail.be/main/F (Belgique)

3 🗣️ Écoute et chante la chanson !

Se dire au revoir à la gare, c'est toujours un peu bizarre...
Je te retrouve sur le quai, tu as vraiment l'air inquiet,
J'ai dans le cœur un orage, mais je te souhaite bon voyage,
Et puis je monte dans le train ; je te fais signe de la main.
Se dire au revoir à la gare, c'est toujours un peu bizarre...

*le TGV : le train à grande vitesse – le Corail : un type de train aux portières orange vif, contraction de « confort » et « rail » – le TER : le train express régional

On prend le train...

1 🔊💬 **Écoute et présente Mathis ! Puis associe les noms aux photos !**

Salut, ça va ? Moi, c'est Mathis. Je viens de **Nancy**, en **Lorraine**. Je suis plutôt sportif : je fais du judo et un peu de karaté. Cela me donne confiance en moi. J'ai commencé aussi à faire de la capoeira. Je suis un fan des arts martiaux ! Tu t'y connais en arts de combat ? Quels noms vont avec quelles photos ?

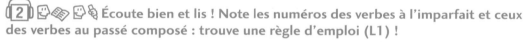

1 aïkido **2** capoeira **3** judo **4** karaté **5** sumo **6** tai-chi-chuan

2 🔊📖💬 **Écoute bien et lis ! Note les numéros des verbes à l'imparfait et ceux des verbes au passé composé : trouve une règle d'emploi (L1) !**

Je vais vous raconter ce qui m'est arrivé (1) avant-hier.
J'étais (2) dans le train pour Metz : c'est là où habite ma grand-mère. J'étais assis (3) près de la fenêtre et j'écoutais (4) ma musique préférée sur mon nouveau baladeur. Le wagon était (5) désert… Tout à coup, deux jeunes ont bondi (6) sur moi et ils ont essayé (7) de me voler mon baladeur. L'un d'eux avait (8) un cutter et il m'a blessé (9) à la main.
Mais grâce au judo et au karaté, j'ai réussi (10) à me défendre et à les mettre en fuite. Je suis allé (11) trouver le contrôleur et, à la gare de Metz, la police attendait (12) les deux jeunes.

On m'a emmené (13) à l'hôpital, au service des urgences : ma blessure n'était (14) pas trop grave. On m'a donné (15) des antibiotiques et on m'a mis (16) un pansement. Après, je suis allé (17) chez ma grand-mère : elle a écouté (18) mon histoire et elle m'a dit (19) : « Tu es un héros ! » Et puis, elle a décidé (20) de faire du judo, elle aussi !

3 💬 **Complète à l'oral en mettant les verbes entre parenthèses au passé composé ou à l'imparfait !**

1 Avant-hier, j'(attendre) … Mathis, mon petit-fils, à la maison et je (regarder) … une émission à la télé sur la *self-defense*.
2 Mathis n'(arriver) … pas et j'(être) … un peu inquiète.
3 Tout à coup, il (entrer) … avec un pansement sur la main et il m'(raconter) … son histoire.
4 Deux jeunes (attaquer) … Mathis dans le train. L'un d'eux (avoir) … un cutter et il l'(blesser) … à la main !
5 Mais mon petit-fils (être) … très courageux et il (réussir) … à mettre en fuite les deux jeunes.
6 Je suis très fière de Mathis et j'(décider) … de faire du judo, moi aussi !

4 💬 **Phonétique → Les sons [e] et [ɛ] : Écoute et lève le doigt quand tu entends le passé composé ! Tu as deux écoutes !**

En voyage*

Écoute et regarde ! Décris les sentiments de Maria et du jeune inconnu !

Communication

Tu sais maintenant…

■ **évoquer un événement ou une action au passé :**
J'étais dans le train. Tout à coup, ils ont bondi sur moi.

■ **exprimer ton accord, ta satisfaction :**
D'accord ! OK ! C'est extra !

■ **introduire une histoire, un récit :**
Alors, voilà…

■ **exprimer une condition, une restriction :**
Vite, sinon on va rater le train !
Aidez-moi à passer la frontière, sinon je suis un homme mort !

■ **exprimer un soulagement :**
Ça y est, le train est parti !

■ **adresser un souhait :**
Bon voyage !

Vocabulaire

Gare et voyage en train

l'aller (*m.*)	le couloir	le passeport	le train (U 2)
l'arrivée (*f.*)	le départ	la place	la valise
le billet	la fenêtre	le quai	la voie
le compartiment	la frontière	le retour	le wagon
le contrôleur	la gare	la salle d'attente	

Sports et autres…

l'aïkido (*m.*)	la blessure	le judo	le sumo
l'antibiotique (*m.*)	la capoeira	le karaté	la surprise
l'art martial (*m.*)	l'émission (*f.*)	le pansement	le tai-chi-chuan
l'assassin (*m.*)	l'hôpital (*m.*)	le service des urgences	le voleur

Verbes

avoir besoin de	décider de	être en avance	promettre de
avoir envie de	se défendre	être en retard	proposer de
avoir horreur de (U 4)	demander de (U 3)	faire des courses	rater (le train)
avoir peur de	se dépêcher de	mettre en fuite	réserver
blesser	essayer de	s'occuper de	voler
composter	être à l'heure	oublier de	

Adjectifs, adverbes et conjonction

après-demain	demain (matin)	extra	sinon
aujourd'hui	désert(e)	grave	tout de suite
avant-hier	direct(e)	hier (matin)	vite

Grammaire

Constructions verbales (verbes + préposition *de*)

■ *Verbes + de + infinitif*
arrêter de, décider de, essayer de, finir de, oublier de, etc.
On a décidé **de** partir en train.

■ *Verbes + COI (à qqn) + de + infinitif*
demander à qqn de, dire à qqn de, permettre à qqn de, promettre à qqn de, proposer à qqn de, etc.
Stanislas nous a demandé **de** le suivre.

■ *Verbes pronominaux + de + infinitif*
se dépêcher de, s'excuser de, s'occuper de, etc.
Agathe s'est dépêchée **d'**aller faire sa valise.

L'utilisation du passé composé et de l'imparfait

■ *Dans un récit au passé, on utilise le* **passé composé** *pour évoquer un événement particulier ou une action précise.*

■ *On utilise* **l'imparfait** *pour évoquer un lieu, une personne ou une situation qui servent d'arrière-plan à cet évènement ou à cette action au passé composé :*
Max **devait** s'occuper de réserver les billets, mais il **a oublié** de les composter.
Tout à coup, un homme **est entré** dans le compartiment. Il **était** blessé à la main.

Noms de villes et prépositions

J'habite **à** Lyon.
Vous n'avez pas envie d'aller **à** Nancy ?
C'est le train **pour** Strasbourg.
Je viens **de** Marseille.

c'est … qui

Il sert à mettre en relief le sujet, qui s'il est pronom, est alors un pronom tonique.
Le train va à Nancy. → **C'est** le train **qui** va à Nancy.
Tu t'occupes des billets. → **C'est toi qui** t'occupes des billets.
Au pluriel : **c'est** nous qui…, **c'est** vous qui… *Mais :* **ce sont** eux / elles qui…

La conjonction *sinon*

Elle exprime une condition, une restriction.
Dépêche-toi, **sinon** on va rater le train !

Phonétique

Les sons [e] et [ɛ]

Stratégies

Pour mieux apprendre…

Énonce les règles de grammaire (par exemple sur l'utilisation de l'imparfait et du passé composé) avec tes propres mots et explique-les à tes camarades : c'est seulement quand on réussit à bien expliquer quelque chose qu'on l'a vraiment compris et appris !

Culture et civilisation

Des gares en Alsace-Lorraine...

La gare de Metz

La gare de Strasbourg

La gare de Nancy

La gare de Colmar

**Ces gares te font penser à quoi ?
à un château ? à une église ? à un stade ?
à une salle de spectacles ? etc.**

On fera bientôt un stage !

1 🎧 💬 **Écoute et repère tout ce que les amis pourraient faire pendant leur « stage de cinéma » !**

Image 1

Théo : Au collège, on nous demande de trouver un « stage de découverte en entreprise ». C'est pour réfléchir au métier qu'on fera plus tard...

Image 2

Agathe : Mon métier, ce sera... un métier du cinéma ! Alors, on pourrait faire un stage sur le plateau de tournage d'un film ! Le père de Stan est producteur de cinéma : il nous aidera à trouver quelque chose !

Image 3

Max : Alors, toi, Agathe, tu seras à la prise de vues, derrière la caméra. Théo sera l'ingénieur du son, Léa sera la scripte[1], moi je serai le décorateur et...

Image 4

Joséphine : Salut ! Vous parlez cinéma ? Vous avez besoin d'une actrice ?

Théo : Toi, tu feras le « clap[2] » au début des prises de vues...

Léa : Tu auras une grande responsabilité, tu sais...

Image 5

Max : Avec cette équipe de tournage, on va remporter la Palme d'or[3] au festival de Cannes !

Léa : Il nous manque seulement le scénario et... un metteur en scène !

Image 6

Stanislas : Salut ! Vous connaissez l'histoire de Julie Romain ? C'est l'histoire de... Pourquoi vous me regardez comme ça ?

2 🎧 💬 📖 💬 **Écoute et lis le récit de Stanislas : vrai ou faux ? Puis relève les verbes suivis de la préposition à et fais-en une liste !**

1 Agathe et ses amis vont faire un stage sur le plateau de tournage d'un film... grâce à mon père, bien sûr !

2 Agathe va apprendre à travailler avec une caméra. Elle va peut-être essayer d'arriver à l'heure sur le plateau ?

3 Théo va commencer à prendre des notes sur tout ce qui se passe.

4 Max réussira sûrement à trouver les meilleures musiques pour le film.

5 Léa doit penser à dessiner et à peindre les décors.

6 Joséphine va aider à faire les maquillages et les coiffures.

7 Et moi ? Les amis m'ont demandé de m'occuper du scénario et de faire la mise en scène !

8 Mais... est-ce qu'on arrivera à remporter la Palme d'or au festival de Cannes ? Ça va être difficile...

---

1. la scripte : *Elle est « l'aide-mémoire » du réalisateur ou du metteur en scène. Elle note tout ce qui se passe pendant les prises de vue.* – 2. le clap : *Un petit tableau muni d'un claquoir, sur lequel est numérotée chaque prise de vue.* – 3. la Palme d'or : *La récompense suprême décernée au meilleur film en compétition au festival de Cannes, en France.*

3 💬 **Complète à l'oral en mettant les verbes entre parenthèses au futur simple !**

1 La semaine prochaine, je (réaliser) **...** mon rêve : faire un stage dans un théâtre !
2 Je (rencontrer) **...** les acteurs et les actrices !
3 Je leur (apporter) **...** des fleurs !
4 Je les (aider) **...** à se maquiller et à s'habiller !
5 Je (parler) **...** aux journalistes !
6 Je (jouer) **...** peut-être, si une actrice est malade...

> **Le futur simple : les verbes en –er**
> Ajouter à la 1re personne du singulier
> au présent la terminaison **–rai** (pour
> la 1re personne du singulier)
> aider → j'aide → j'aide**rai**

4 👂📖 **Écoute et lis ! Repère les adverbes en –ment et retrouve l'adjectif correspondant ! Puis réponds aux questions !**

Une semaine plus tard...

– Qu'est-ce que tu as fait exactement pendant ton stage ?
– Malheureusement, ça n'était pas du tout ce que j'attendais...

Au début du spectacle, j'ai distribué les programmes : ça n'était vraiment pas intéressant !

Ensuite, pendant l'entracte, j'ai vendu des boissons à la cafétéria : c'était horriblement fatigant !

À la fin du spectacle, j'ai vidé les poubelles : c'était affreusement pénible !

Et enfin, j'ai nettoyé la salle : c'était vraiment dur ! En plus, on m'a dit que je ne travaillais pas assez rapidement !

Le théâtre ? Non, ça n'est certainement pas un métier pour moi...

💬 **Pour former ces adverbes, est-ce qu'on ajoute –ment au masculin, au féminin ou au pluriel de l'adjectif correspondant ? ... Est-ce qu'il y a une exception dans le texte ? ... Si oui, laquelle ? ...**

5 💬📖 **Le futur simple → Regarde bien l'aide-mémoire et complète les verbes à l'oral !**

1 Où est-ce que tu (aller) **...** faire ton stage ?
2 Ma sœur et moi, nous (travailler) **...** dans le restaurant de notre tante.
3 Vous (faire) **...** la cuisine ?
4 Non, on (avoir) **...** à servir les clients du restaurant.
5 On espère qu'ils (être) **...** gentils avec nous...
6 ...et qu'ils nous (donner) **...** un bon pourboire* !

> **Le futur simple (suite)**
> 1re personne du singulier au présent
> + terminaisons au singulier : **-rai, -ras, -ra**
> + terminaisons au pluriel : **-rons, -rez, -ront**
> **Mais :** aller → **j'irai** – avoir → **j'aurai**
> être → **je serai** – faire → **je ferai**

6 📖👂💬 **Phonétique → La graphie <ent> : tantôt prononcée [ã], tantôt non prononcée : lis (A) les phrases avec ton voisin ou ta voisine (B) ! Puis écoutez le CD pour vérifier !**

1 **A** Tu crois qu'ils écoutent en ce moment ? – **B** Non, ils n'écoutent absolument pas.
2 **A** Moi, je pense qu'ils ne comprennent pas. – **B** Oui, souvent ils ne comprennent pas.
3 **A** Ils perdent leur temps, non ? – **B** Oui, malheureusement ils perdent leur temps !
4 **A** Mais, ils ont l'air toujours contents ! – **B** Je ne sais pas vraiment s'ils sont contents...

Dans quels mots <ent> n'est pas prononcé ? Les noms ? Les adjectifs ? Les verbes ? Les adverbes ? ...

---

* donner un pourboire : *donner de l'argent (au serveur, à la serveuse) pour le service*

On fera bientôt un stage !

1 📖 🗣️ **Lis et réponds aux questions de Roxane !**

Grasse
Cannes

1 Bonjour ! Je m'appelle Roxane, j'ai 14 ans. C'est à **Cannes** que j'habite : c'est une ville célèbre !

■ Trouve pourquoi ma ville est célèbre !

2 Dans ma ville, on a mis des « silhouettes » : grâce à elles, on peut devenir héros de cinéma, le temps d'une photo !

■ Trouve qui sont les héros de cinéma sur les photos **A** et **B** !

3 Ma ville est dans la région **Provence-Alpes-Côte d'Azur** : c'est cette région que beaucoup d'artistes choisissent pour venir y vivre et travailler !

■ Trouve le nom d'un(e) artiste français(e) ou étranger / étrangère, peintre, acteur ou actrice, chanteur ou chanteuse, qui a choisi de vivre en Provence ou sur la Côte d'Azur !

4 C'est aussi une région où on joue avec des « boules ».

■ Regarde la photo **C** et trouve comment on appelle ce sport !

5 Ma région est une région pleine de parfums, comme celui de la lavande ou du mimosa. Je crois que c'est la lavande que je préfère.

■ Regarde les photos **D** et **E** : Où est la lavande ? Où est le mimosa ?

A

À Cannes, dans un square

6 Mon oncle travaille à Grasse, près de Cannes. C'est la « capitale mondiale des parfums » ! C'est à mon oncle que j'ai demandé de me trouver mon « stage de découverte en entreprise », pour le collège, et c'est dans son usine de parfums que j'irai faire mon stage. Génial ! C'est demain que je commence... Je ne serai pas payée, bien sûr : ça n'est pas un vrai emploi, c'est juste un stage de quelques jours. Mais j'essaierai de me rendre utile, je poserai des questions. Et je regarderai si le travail est agréable, fatigant ou difficile. J'aurai une idée de ce qui m'attend, si je choisis ce travail !

■ Est-ce que toi aussi, tu as des stages à faire pour ton collège ou ton lycée ? Oui ? Non ? ... Selon toi, c'est utile ? intéressant ? difficile ? ...
■ Tu as déjà fait un stage ? ... Si oui, où ? ... Pendant combien de temps ? ... Ça s'est passé comment ? Explique !

B

À Cannes, sur La Croisette

C

D

E

2 📖 🗣️ **Repère les phrases avec *c'est ... que* ! Transforme-les à l'oral et trouve quels mots sont mis en relief à chaque fois !**

Exemple : Je crois que **c'est** la lavande **que** je préfère. → Je crois que je préfère <u>la lavande</u>.

3 🗣️ **Transforme à l'oral le paragraphe 6 du texte à la 3ᵉ personne du singulier !**

Exemple : Son oncle travaille à Grasse, près de Cannes. C'est la « capitale mondiale des parfums » ! C'est à son oncle qu'elle a demandé de lui trouver...

PROJET : ÉCRIRE UN SCÉNARIO

1 📖 💬 **Prépare ton scénario !**

Tu vas être le « metteur en scène » d'un film, d'après l'œuvre de Guy de Maupassant ! Ce sera un film d'aventures, un film comique ou romantique, ou bien un film de suspens, mais surtout pas un film d'horreur ou de violence !
Tu vas écrire le scénario d'une scène de ce film !

1 Choisis d'abord deux ou trois personnages !

2 Choisis ensuite le décor !

Madame Tuvache | Le jeune inconnu | La « sirène » | L'homme au masque | Maria | Charlot

Décor 1 : Dans l'épave   Décor 2 : Dans le train   Décor 3 : Aux champs

3 Choisis maintenant un moment de la journée où se passera la scène et imagine ce qui arrivera aux personnages !

☐ le matin   ☐ l'après-midi   ☐ le soir   ☐ la nuit

2 📖 💬 **Prépare les mouvements de caméra et le cadrage !**

Pour tourner une scène, la caméra peut être fixe et filmer la scène, par exemple en **plan d'ensemble**, avec tout le décor et tous les personnages.
Mais elle peut aussi bouger sur des rails ou sur l'épaule : cela s'appelle un **travelling**.
On parle de *travelling latéral*, de *travelling avant* ou *arrière* ou encore de *travelling haut* ou *bas*.
La caméra peut aussi faire un **zoom** (*avant* ou *arrière*) sur un personnage.
Elle peut cadrer un personnage en pied (**plan pied**) ; jusqu'aux genoux (**plan italien**) ; jusqu'à mi-cuisses (**plan américain**) ; jusqu'à la taille (**plan taille**) ; jusqu'à la poitrine (**plan poitrine**). Elle peut cadrer le visage (**gros plan**) ou un détail du visage (**très gros plan**).
→ Choisis quels mouvements de caméra et quels cadrages tu utiliseras !

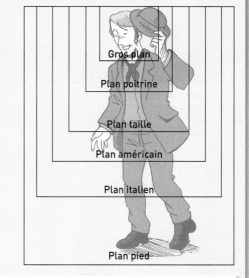

3 📝 **Prends une feuille, fais trois colonnes et écris le scénario !**

Didascalies Situation, actions et sentiments des personnages	Dialogues	Mouvements de caméra Cadrages
Exemple : *Dans le compartiment. C'est le soir. Madame Tuvache est assise. Elle mange un sandwich.* *L'homme au masque entre. Madame Tuvache s'arrête de manger : elle a l'air étonné.* etc.	*Madame Tuvache (la bouche pleine) :* Bonjour ! *L'homme au masque :* Bonjour, madame ! La place est libre ? *Madame Tuvache :* Euh… oui, asseyez-vous ! etc.	*Plan d'ensemble sur le compartiment.* *Plan taille sur l'homme au masque.* *Gros plan sur Madame Tuvache.* etc.

4 📖 📝 **Présente ton scénario à la classe, publie-le sur ton blog ou la page web de ton collège et mets-le en scène !**

On fera bientôt un stage !

Julie Romain*

 Écoute et regarde ! Puis raconte l'histoire !

1. J'ai toujours aimé Cannes et la Côte d'Azur : quel magnifique spectacle de la nature !

2. Qui peut habiter une aussi belle villa ?

3. Vous êtes devant la maison de Madame Julie Romain !

4. Julie Romain ? La grande actrice de théâtre ? Elle était très célèbre il y a... trente ans ! C'est ici qu'elle habite ?

5. Bonjour ! Est-ce que Madame Julie Romain peut me recevoir ? Je suis Guy de Maupassant...

6. Quelques instants après...

7. Bienvenue ! C'est merveilleusement gentil à vous d'être venu !

8. Je voudrais vous dire combien je suis content de...
Je vous invite à visiter mon jardin, venez !

9. J'ai remporté un prix pour ce rôle ! J'étais si jeune, je commençais à peine à jouer au théâtre...

Communication

Tu sais maintenant…

■ **exprimer une action au futur :**
La semaine prochaine, je réaliserai mon rêve.

■ **exprimer une certitude :**
Le théâtre n'est certainement pas un métier pour moi.

■ **mettre en relief un élément de la phrase :**
C'est à mon oncle que j'ai demandé de me trouver un stage.
C'est la lavande que je préfère.

■ **exprimer ta mauvaise humeur, te plaindre :**
C'était vraiment dur. C'était affreusement pénible. C'était horriblement fatigant.

■ **accueillir quelqu'un :**
Bienvenue !

■ **exprimer un accord total :**
Vous avez absolument raison !

■ **vérifier que tu as compris quelque chose :**
Si je comprends bien...

Vocabulaire

Cinéma et théâtre

le cadrage	l'équipe (de tournage) (f.)	la mise en scène	le rôle
la caméra	le film	le mouvement (de caméra)	le scénario
la célébrité	le héros	le plan (d'ensemble)	la scène
le décor (U 2)	l'ingénieur du son (m.)	le plateau (de tournage)	le travelling
le décorateur	le metteur en scène	la prise de vues	le zoom

Stage, emploi et autres...

la cafétéria	l'entreprise (f.)	le parfum	le rêve
le client	la lavande	la pétanque	le stage
le coucher de soleil	le métier	la poubelle	l'usine (f.)
l'emploi (m.)	le mimosa	la responsabilité	la villa

Verbes

aider à	distribuer	payer	remporter
apprendre à	filmer	penser à	rencontrer
arriver à	inviter à	réaliser	réussir à (U 6)
avoir à	manquer (il manque)	recevoir	se rendre utile
commencer à	nettoyer	réfléchir (U 6)	vider

Adjectifs, adverbes et prépositions

absolument	au début de	grâce à	prochain(e) (U 2)
affreusement	difficile	horriblement	rapidement
agréable	étranger / étrangère	malheureusement	utile
certainement	exactement	merveilleusement	vraiment (U 1)

Grammaire

Constructions verbales (verbes + préposition *à*)

■ *Verbes + à + infinitif*
apprendre à, arriver à, avoir à, commencer à, continuer à, penser à, réussir à, etc.

■ *Verbes + COD + à + infinitif*
aider qqn à, inviter qqn à, obliger qqn à, etc.

■ *Verbes pronominaux + à + infinitif*
s'amuser à, s'attendre à, se décider à, s'habituer à, s'intéresser à, se mettre à, etc.

Le futur simple

■ *Il exprime une action future. (Le **futur proche**, lui, exprime une action future très prochaine et quasi certaine.)*
J'essaierai de me rendre utile.

■ *Pour les verbes en –er, le futur simple se forme en ajoutant à la 1re personne du singulier au présent les terminaisons **–rai, -ras, -ra, -rons, -rez, -ront** :*

infinitif	présent : je/j'	futur simple
aider	**aide**	j'aide**rai**
acheter	**achète**	tu achète**ras**
appeler	**appelle**	il / elle / on appelle**ra**
essayer	**essaie**	nous essaie**rons** (ou essaye**rons**)
jeter	**jette**	vous jette**rez**
lever	**lève**	il / elles lève**ront**

Verbes irréguliers : aller → j'**irai** – avoir → j'**aurai** – être → je **serai** – faire → je **ferai**

Les adverbes en *–ment*

Ils se forment en ajoutant –ment à l'adjectif au féminin.
heureux / heureuse → heureuse**ment** – certain / certaine → certaine**ment**
Exceptions : **vraiment, absolument, gentiment**, etc.

c'est … que / qu'

Il sert à mettre en relief un COD, un COI, un complément de lieu ou de temps.
J'aime <u>cette ville</u>. → **C'est** cette ville **que** j'aime. – Il <u>te</u> parle. → **C'est à toi qu'**il parle. –
Elle habite <u>à Cannes</u>. → **C'est** à Cannes **qu'**elle habite. – Je commence <u>demain</u>. → **C'est**
demain **que** je commence.

Phonétique

La graphie <ent> prononcée ou non prononcée

Stratégies

Pour mieux t'entraîner à parler…

Écoute bien le temps ou les marqueurs de temps utilisés dans les questions qui te sont posées et réponds en utilisant le temps approprié : *Tu as déjà fait un stage ? Tu en feras un bientôt ? – Non, je n'ai pas encore fait de stage. Oui, j'en ferai un bientôt.*

Culture et civilisation

Un lieu de Provence, l'Estaque près de Marseille, vu par quatre peintres…

Paul Cézanne, 1883

Pierre Auguste Renoir, 1892

Georges Braque, 1906

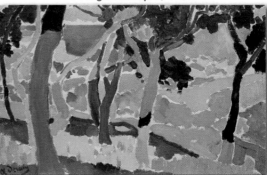

André Derain, 1906

Fais une recherche sur ces quatre peintres et présente pour chacun d'eux une autre œuvre que tu aimes bien !

Seuls dans l'univers ?

1 Écoute et regarde ! Puis raconte l'histoire !

Image 1

Léa : Qu'est-ce que tu as ? Ça ne va pas ?
Joséphine : Eh bien... hier, j'ai vu une boule jaune très brillante dans le ciel et...
Agathe : C'était un ovni, un « objet volant non identifié » ?
Joséphine : Je ne sais pas... mais depuis, j'ai mal à la tête et j'ai de la fièvre !

Image 2

Théo : Tu es restée trop longtemps au soleil et maintenant, tu es malade, c'est tout !
Agathe : Si tu as encore de la fièvre demain, tu devras absolument voir un médecin, faire une prise de sang, passer une radio[1] !
Joséphine : Oh là là, j'ai mal partout !

Image 3

Stanislas : Ma sœur aussi, elle a vu un ovni : elle est pilote. Un jour, elle en a vu un planer devant son avion !

Image 4

Léa : Moi, je suis sûre que nous ne sommes pas seuls dans l'univers et que des extraterrestres[2] viennent nous observer avec leurs engins...
Théo : Des « petits hommes verts » ? des « hommes en noir » ? C'est ridicule !

Image 5

Max : Mais ils peuvent avoir une apparence complètement différente. Peut-être que nous ne pouvons pas les voir, peut-être qu'ils sont invisibles ?

Image 6

Théo : Non, vous ne réussirez pas à me faire peur ! Ah, ah !

2 Le futur simple des verbes en *–ir* et en *–re* → Complète à l'oral puis écoute le CD pour vérifier !

Les extraterrestres ?

1 Nous (réussir) **...** un jour à entrer en contact avec eux.
2 Ou bien, c'est eux qui (choisir) **...** d'entrer en contact avec nous.
3 Alors, nous ne (perdre) **...** pas de temps.
4 Ils (apprendre) **...** notre langue.
5 Nous nous (mettre) **...** à parler « extraterrestre ».
6 Et on (finir) **...** par se comprendre !

> **Le futur simple : les verbes en *–ir* et en *–re***
> Supprimer le *–r* ou le *–re* de l'infinitif et ajouter les terminaisons du futur :
> **-rai, -ras, -ra, -rons, -rez, -ront**
> fini **r** → je finirai   di **re** → nous dirons
> parti **r** → tu partiras   mett **re** → vous mettrez
> sorti **r** → il sortira   perd **re** → elles perdront

---

1. passer une radio (radiographie ou radioscopie) : *se faire photographier ou examiner au moyen des rayons X.* – 2. extraterrestre : *qui vient d'une autre planète que la Terre.*

3 Le futur simple des verbes irréguliers → Écoute et lis le dialogue ! Repère les verbes au futur et retrouve leur infinitif ! Note les formes des verbes en *–er*, en *–ir* et en *–re* et celles des verbes irréguliers !

> Bonjour ! Nous sommes venus ici passer deux semaines de vacances : nous sommes arrivés sur la Terre il y a trois jours, et depuis, ça ne va pas : j'ai un rhume, je tousse, j'ai mal au ventre et j'ai de la fièvre…

> Et moi, j'ai pris un coup de soleil ! J'ai mal à la tête, j'ai mal aux yeux et je n'arrive pas à dormir : j'ai des insomnies !

> Bon ! Alors, voici un tube de crème contre les coups de soleil. Vous mettrez aussi des gouttes pour les yeux : deux gouttes dans chaque œil ! Vous verrez, dans trois jours vous n'aurez plus mal !
> Ça, c'est un médicament contre le stress et l'insomnie. Mais vous ferez bien attention : vous prendrez un seul comprimé le soir, avant de dormir, c'est tout ! Et si ça ne va pas, vous reviendrez me voir, d'accord ?

> Alors, pour vous j'ai un sirop contre la toux : vous en boirez une cuillerée trois fois par jour ! Si la toux ne s'est pas arrêtée, vous devrez prendre ces comprimés. Et si la fièvre ne baisse pas, il faudra prendre un bain à 37°C (degrés) ! Vous saurez comment faire ?

Le futur simple : les verbes irréguliers			
aller	→ j'**irai**	falloir	→ il **faudra**
avoir	→ j'**aurai**	pouvoir	→ je **pourrai**
courir	→ je **courrai**	savoir	→ je **saurai**
devoir	→ je **devrai**	venir	→ je **viendrai**
être	→ je **serai**	voir	→ je **verrai**
faire	→ je **ferai**	vouloir	→ je **voudrai**

> Si vous êtes encore malades dans cinq jours, vous irez à l'hôpital faire une prise de sang et vous courrez passer une radiographie des poumons… Vous avez des poumons ? Et vous pourrez prendre rendez-vous pour une consultation : vous demanderez un spécialiste des maladies intergalactiques ! Quand vous repartirez chez vous, vous serez complètement guéris !

un tube de crème   des gouttes   un comprimé   une prise de sang   du sirop   une radiographie des poumons

4 Tu es pharmacien(ne) et tu donnes des conseils (B) à ton voisin ou à ta voisine « malade » (A) ! Utilise le vocabulaire ci-dessus et des verbes au futur simple (voir aussi la liste plus haut) !

Exemple : A Et si j'ai encore de la fièvre demain ? → **B** Si vous avez encore de la fièvre demain, vous prendrez un bain à 37°C !

Si + présent (ou passé composé) → futur exprime une condition, une hypothèse :
Si vous êtes encore malades, vous irez à l'hôpital !

Quand + futur exprime une action ou un événement futur :
Quand vous repartirez, vous serez complètement guéris !

1 Et si j'ai encore mal à la tête ? →

2 Et si j'ai encore mal aux yeux ? →

3 Et si mes coups de soleil me font encore mal ? →

4 Et si je tousse encore dans une semaine ? →

5 Et si j'ai encore mal au ventre ? →

6 Et quand je repartirai chez moi… ? →

Seuls dans l'univers ?

PROJET : ÉCRIRE UN ARTICLE DE JOURNAL

1 🗨️📖 🗨️💬 **Lis d'abord les deux articles et réponds aux questions !**

■ **Région Basse-Normandie**

Un pilote de ligne voit un objet mystérieux planer devant lui !

Dans la soirée du 21 juin, le capitaine Bernard, pilote de ligne de la compagnie Air-Voyages, a repéré un objet lumineux à 20 kilomètres à l'ouest du Mont-Saint-Michel. Son avion volait à 8 000 mètres d'altitude. Le capitaine Bernard raconte : « C'était un disque jaune, très net, très lumineux. Il planait en dessous de l'avion à 5 000 mètres. J'ai pensé que c'était un ballon, mais il était beaucoup plus grand et il avait vraiment la forme d'un disque. Puis j'ai remarqué un deuxième objet plus loin, exactement pareil. Je suis resté calme. Je devais d'abord penser à la sécurité de mes passagers. Je ne me suis pas approché. Je ne dis pas que c'était un ovni, mais je n'ai rien vu de pareil pendant toutes mes années de vol ! »

- FAIT DIVERS -

Un ovni en Normandie ?

Le 22 juin dernier, vers 4 heures du matin, Raymond Thomas, habitant du village de Pierrepont, n'arrivait pas à dormir. Il est allé à la fenêtre de sa chambre et a vu un grand cercle de lumière sur la prairie devant sa maison. Cette lumière venait d'un objet en forme d'œuf ou de disque qui planait à 20 mètres au-dessus de la ferme. Monsieur Thomas a vu aussi deux formes grises assises dans l'engin. Au bout de 30 secondes, la lumière, l'objet et ses occupants ont disparu sans aucun bruit. Le lendemain, Monsieur Thomas a remarqué sur l'herbe les traces d'une poudre grise. Le soir du 23 juin, il a commencé à avoir une très forte fièvre. Il a été hospitalisé, mais ses jours ne sont pas en danger et il sortira de l'hôpital la semaine prochaine.

1 Où se passe le premier phénomène ? ... Et le deuxième ? ...

2 Est-ce que les deux articles parlent du même « objet », selon toi ? Oui ? Non ? ... Pourquoi ? ...

3 Si c'est le même « ovni », il a quelle forme, quelle taille, quelle couleur ? ...

4 Est-ce que tu penses qu'il y a des occupants dans cet « ovni » ? ... Si oui, comment est-ce que tu les imagines ? ...

5 Est-ce que tu crois aux extraterrestres ? Oui ? Non ? ... Pourquoi ? ...

2 💬🗨️🛠️ **Prépare ton article : c'est le compte-rendu d'un phénomène (objet, être, animal ou événement) inhabituel ou mystérieux !**

1 Choisis la date d'observation de l'objet, de l'être, de l'animal ou de l'événement !

2 Choisis le témoin (homme, femme, enfant ?), son nom, son âge, sa profession !

3 Où est-ce que cela se passe ? Dans le ciel ? Dans un village ? une forêt ? une ville ? etc.

4 Décris l'objet, l'être, l'animal ou le phénomène : taille, forme, couleur(s), etc. !

5 Imagine les pensées et sentiments du témoin : calme, surprise, peur, colère ?

6 Imagine les conséquences ! Le témoin s'enfuit ? Il s'évanouit ? Il tombe malade ? etc.

3 🗨️🛠️ **Maintenant, écris ton article !**

1 Utilise *et, mais, ou* ainsi que *d'abord, puis, ensuite*, etc. Utilise aussi *dernier* (*lundi dernier*) ou *prochain* (*la semaine prochaine*).

2 Utilise tous les temps dont tu as besoin : tu peux écrire l'article au présent ou au passé (passé composé et imparfait). Tu peux aussi indiquer des éléments au futur proche ou au futur simple...

3 Choisis le titre de ton article : cela peut être une phrase courte qui résume le fait divers (comme dans le premier article) ou bien une question (comme dans le deuxième article) ou encore un seul mot !

4 💬🗨️🗨️💬 **Lis ton article à la classe et publie-le sur ton blog ou la page web de ton collège ! Ajoute des photos ou des illustrations !**

1 🎧 💬 **Lis et présente Titouan, sa région, sa ville et sa nouvelle passion !**

Salut ! Moi, c'est Titouan ! J'habite en **Normandie**, le pays des pommes, du cidre et de la crème ! Ma ville c'est **Rouen** : c'est une jolie ville au bord de la Seine, assez loin de la mer. Et pourtant, je vais bientôt être « capitaine d'un navire[1] » ! Je m'explique : Je n'<u>étais</u> pas un spécialiste de la voile et je n'<u>avais</u> jamais navigué. Je ne <u>savais</u> rien sur les bateaux et je n'<u>allais</u> jamais voir de régates[2]. Et puis l'année dernière, je suis allé à « l'Armada » de Rouen avec mon père !

Rouen : Le quartier du « Gros Horloge »

Rouen : « L'Armada »

C'est une manifestation qui réunit les plus beaux voiliers[3] du monde ! Nous avons vu plus de trente magnifiques bateaux et maintenant, nous <u>sommes</u> des fans ! La semaine prochaine, nous <u>irons</u> acheter un voilier. Nous <u>savons</u> qu'il existe un bateau « Ovni » : c'est un bateau en aluminium, rapide et léger. Si on prend un « Ovni », je préférerai le modèle avec l'intérieur en bois, en verre et en métal et pas celui en plastique ! Dans ce modèle, il y a aussi des rideaux et des coussins en tissu et tout le confort. Il est superbe !
J'espère que nous <u>aurons</u> la chance de le tester : alors, nous <u>saurons</u> s'il est vraiment pratique et sûr. Si tout va bien, je <u>serai</u> le plus heureux des capitaines d'ovnis !

• Rouen

2 💬📖 💬✏️ **Relis le texte et retrouve l'infinitif des verbes soulignés !**
À quel temps (présent, imparfait, futur) sont-ils utilisés ? Fais une liste !

3 🎧💬 **Phonétique et graphie → L'accent aigu et l'accent grave sur le *e* : Écoute et lève la main quand tu entends le son [ɛ] !**

4 🎧💬 **Écoute et chante la chanson !**

Je t'emmènerai faire de la voile, on naviguera sous les étoiles.
On fera le tour de la mer, on fera le tour de la terre !

Je t'emmènerai sur mon bateau et on voguera[4] au fil de l'eau.
On fera le tour de la mer, on fera le tour de la terre !

Je t'emmènerai sur mon ovni, on planera dans les galaxies,
On fera le tour de la terre, on fera le tour de l'univers !

Un voilier « Ovni »

1. un navire : *un (grand) bateau* – 2. une régate : *une course de bateaux* – 3. un voilier : *un bateau à voiles* – 4. voguer : *naviguer*

Seuls dans l'univers ?

Le Horla*

 Écoute et regarde ! Puis imagine la suite de l'histoire !

Mai 1887, près de Rouen...

> J'aime regarder les bateaux qui passent sur la Seine ! Tiens, voilà un navire brésilien ! Comme il est beau !

1

> Je tousse et j'ai de la fièvre. Si cette toux ne s'arrête pas et si cette fièvre ne baisse pas, j'irai voir un médecin.

2

Quelques jours plus tard...

> Le médecin m'a donné des médicaments, mais je tousse encore et la fièvre n'a pas baissé.

3

> Je suis seul dans ma chambre et pourtant je sens que quelqu'un m'observe...

> Je n'arrive pas à dormir !

4

Le lendemain matin...

> Ces insomnies, ce mal de tête... Je partirai cet après-midi : un petit voyage me fera du bien !

5

6

> Bonsoir ! Vous êtes au Mont-Saint-Michel, dans un lieu plein de légendes ! L'une d'elles dit qu'on entend quelqu'un parler dans les sables du Mont, mais qu'on ne le voit jamais...

7

> Mais... si on ne voit pas cet homme, c'est qu'il n'existe pas !

> Tenez, voici le vent ! Vous pouvez le voir ? Non ! Il existe pourtant !

8

Quelques jours se sont passés...

> Je suis rentré hier. Je n'ai plus d'insomnies. Mais je ne suis pas complètement guéri.

9

Le lendemain matin...

10 Qui a bu l'eau de cette carafe ?

11

12 « Il » était là, à ma place ! « Il » lisait mon livre !

13 « Il » s'est enfui par la fenêtre et a fait tomber le fauteuil et la lampe ! Le journal ?

Et... cet article ?

14 Brésil: Une épidémie de folie dans la province de São Paulo !
Les habitants quittent leur maison : ils disent qu'ils sont poursuivis par des êtres invisibles qui boivent de l'eau et se nourrissent de leur souffle pendant leur sommeil !

15 Le bateau brésilien ! « Il » est venu sur ce bateau ! On ne le voit pas, mais il est là le... le... comment l'appeler ? Oui, le Horla !! ... Il est derrière moi !

16 Mon reflet ! Il m'a volé mon reflet !

17

18 Je l'ai vu, l'être invisible ! Il se nourrit de mon souffle pendant mon sommeil, il me rend fou, il va me tuer... Non, c'est moi qui le tuerai !

*D'après le conte de Guy de Maupassant (1887)

Communication

Tu sais maintenant…

■ **exprimer une condition ou une hypothèse au futur :**
Si vous êtes encore malades dans cinq jours, vous irez à l'hôpital faire une prise de sang.

■ **indiquer à un professionnel de santé la nature d'un problème :**
J'ai un rhume, je tousse, j'ai de la fièvre.
J'ai mal partout ! J'ai des insomnies.

■ **comprendre des instructions :**
Vous prendrez un seul comprimé avant de dormir !

■ **comprendre des modes d'utilisation de médicaments :**
Mettez deux gouttes dans chaque œil !
Une cuillerée de sirop trois fois par jour !

■ **exprimer une probabilité :**
Peut-être que nous ne pouvons pas voir les extraterrestres.

■ **exprimer un jugement dépréciatif :**
C'est ridicule !

Vocabulaire

Maladies, douleurs et remèdes

le comprimé	les gouttes (f. pl.)	le poumon	le spécialiste
la consultation	l'insomnie (f.)	la prise de sang	la tête
le coup de soleil	la maladie	la radio (–scopie ou –graphie)	la toux
le degré (Celsius)	le médecin	le rhume	le tube (de crème)
la fièvre	le médicament (U 3)	le sirop	le ventre

Phénomènes et matières

l'aluminium (m.)	le cercle	la lumière (U 2)	la prairie
l'apparence (f.) (U 6)	le disque	le métal	le tissu
le bois (U 2)	l'engin (m.) (U 2)	l'objet (m.) (U 3)	la trace
la boule	l'extraterrestre (m.)	l'ovni (m)	l'univers (m.)
le bruit (U 2)	la forme	le (la) pilote (U 1)	le verre
le capitaine	la légende (U 3)	le plastique (U 4)	le voilier

Verbes

(faire) attention	entrer en contact avec	naviguer	tester
baisser	exister	observer	tousser
courir	guérir	planer	tuer
disparaître	(avoir) mal à	remarquer	(faire de la) voile

Adjectifs, adverbes et prépositions

brillant(e)	au-dessus de (U 2)	loin de	partout
contre ≠ pour	différent(e) ≠ pareil / pareille	longtemps	peut-être que…
dernier / dernière ≠ prochain(e)	fou / folle	lumineux / lumineuse	pratique
en dessous (au-dessous) de (U 2)	invisible	mystérieux / mystérieuse	ridicule

Grammaire

Le futur simple : verbes en –ir ou –re et verbes irréguliers

■ *Pour les verbes en* **–ir** *ou* **–re**, *le futur simple se forme en supprimant le –r ou le –re de l'infinitif et en ajoutant les terminaisons* **-rai, -ras, -ra, -rons, -rez, -ront** :

infinitif en –*ir*	futur simple	infinitif en –*re*	futur simple
fini **r**	je fini**rai**	di **re**	nous di**rons**
parti **r**	tu parti**ras**	mett **re**	vous mett**rez**
réussi **r**	il réussi**ra**	perd **re**	elles perd**ront**

■ *Verbes irréguliers :*

infinitif	futur simple	infinitif	futur simple
aller	j'**irai**	falloir	il **faudra**
avoir	j'**aurai**	pouvoir	je **pourrai**
courir	je **courrai**	savoir	je **saurai**
devoir	je **devrai**	venir	je **viendrai**
être	je **serai**	voir	je **verrai**
faire	je **ferai**	vouloir	je **voudrai**

La conjonction *si* + présent (ou passé composé) → futur

Elle exprime une condition, une hypothèse.
Si vous **êtes** encore malades, vous **irez** à l'hôpital.
Si la toux ne **s'est** pas **arrêtée**, vous **devrez** prendre ces comprimés.

La conjonction *quand* + futur

Elle exprime une action ou un événement futur.
Quand vous **repartirez**, vous **serez** complètement guéris !

Les préfixes *en-, in-, re-*

■■ **en-** (**em-** *devant* **b**, **m**, **p**) *vient du latin* in « dans, en » :
mener → emmener ; dormir → endormir ; fermer → enfermer ; laid → enlaidir

■■ **in-** (**im-** *devant* **b**, **m**, **p** *ou* **ir-** *devant* **r**) *exprime la négation, le contraire :*
visible → invisible ; possible → impossible ; réalisable → irréalisable

■■ **re-** (**ré-** *ou* **r-** *devant voyelle*) *exprime le retour en arrière ou à un état antérieur ou bien la répétition :* partir → repartir ; venir → revenir ; entrer → rentrer

Phonétique et graphie

L'accent grave et l'accent aigu sur le *e*

L'accent modifie la prononciation : **é** *se prononce* **[e]** *et* **è** *se prononce* **[ɛ]**.

■ *Certains verbes alternent le* **e** *et le* **è** :
ach**e**ter → j'ach**è**te, vous ach**e**tez ; emm**e**ner → j'emm**è**ne, vous emm**e**nez
Le futur simple de ces verbes en -er est formé sur la 1re personne du singulier au présent :
→ j'ach**è**terai [aʃɛtʀɛ] ; → j'emm**è**nerai [ɑ̃mɛnʀɛ]

■ *D'autres verbes (espérer, exagérer, préférer, répéter, etc.) alternent le* **é** *et le* **è** :
esp**é**rer → j'esp**è**re, vous esp**é**rez ; préf**é**rer → je préf**è**re, vous préf**é**rez
Le futur simple de ces verbes est formé sur l'infinitif, mais le **é** *est prononcé* **[ɛ]** :
→ j'esp**é**rerai [ɛspeʀəʀɛ] ; → je préf**é**rerai [pʀefɛʀəʀɛ]

Culture et civilisation

Bretagne et Normandie

Le phare du Four

La maison de Claude Monet à Giverny

Le Mont-Saint-Michel

Costumes traditionnels à Quimper

Fais des recherches et trouve d'où vient chaque photo : de Bretagne ou de Normandie ?

On révise et on s'entraîne pour le DELF A2 !

Nom : .... Prénom : ....

Compréhension de l'oral (25 points)

1 Tu es à la gare. Écoute les annonces et réponds aux questions ! Tu as deux écoutes !

Annonce 1 : Où va partir le train pour Marseille ? Voie 13 ou voie 16 ? ....

Annonce 2 : Il est 12 h 10. Quand est-ce que le train en provenance de Lyon va arriver ? À 12 h 30 ? à 12 h 50 ? ....

Annonce 3 : Où va finalement partir le train pour Dijon ? Voie 7 ou voie 17 ? ....

Annonce 4 : Où doit aller le groupe d'élèves d'Avignon ? À la sortie ? À l'accueil ? ....

2 Quentin est malade. Il téléphone dans un cabinet médical pour prendre rendez-vous. Écoute et coche les bonnes phrases ! Tu as deux écoutes !

1 ☐ Quentin a un rendez-vous pour le jour même.

2 ☐ Il a mal au ventre et de la fièvre.

3 ☐ Il connaît déjà le docteur Médico.

4 ☐ Le cabinet médical n'est pas ouvert le jeudi après-midi.

5 ☐ Quentin a rendez-vous à 14 h 45.

6 ☐ Son numéro de téléphone, c'est le 06 47 89 123.

Compréhension des écrits (25 points)

1 Lis cette notice ! Puis écris vrai (V) ou faux (F) et justifie ta réponse !

Fievrex ®

Comprimé effervescent

Lisez attentivement cette notice, elle contient des informations importantes pour vous.

QU'EST-CE QUE FIEVREX ?
Ce médicament se présente sous forme de comprimés effervescents, en boîte de 12.
Il est indiqué en cas de fièvre et de douleurs (maux de tête, douleurs dentaires).

COMMENT PRENDRE FIEVREX ?
Ce médicament est réservé à l'adulte et à l'enfant à partir de 12 ans.
Prendre un comprimé toutes les 6 ou 8 heures. Ne pas prendre plus de 3 comprimés par jour.
Mode et voie d'administration : **VOIE ORALE**
Laisser dissoudre complètement le comprimé dans un verre d'eau ; boire immédiatement après.
Si vous avez l'impression que l'effet de **Fievrex** est trop fort ou trop faible, consultez votre médecin ou votre pharmacien.

COMBIEN DE TEMPS DURE LE TRAITEMENT ?
Si la douleur persiste plus de 5 jours ou la fièvre plus de 3 jours, ne pas continuer le traitement sans l'avis de votre médecin.

QUELS SONT LES EFFETS INDÉSIRABLES ÉVENTUELS ?
Possibilité de maux de ventre et de bouche sèche.

COMMENT CONSERVER FIEVREX ?
Conserver la boîte fermée et à l'abri de l'humidité.
Ne pas laisser ce médicament à la portée des enfants.
Ne pas l'utiliser après la date de péremption figurant sur la boîte.

La dernière date à laquelle cette notice a été approuvée est novembre 2008.

---

1 Cette notice contient des informations sur un médicament contre la fièvre, la durée du traitement et ses effets.

2 C'est un médicament assez fort : il ne faut pas le prendre plus de 6 fois par jour pendant 8 jours.

3 Il faut avaler les comprimés et boire un verre d'eau immédiatement après.

4 Il faut consulter un médecin si le médicament paraît trop fort ou si la fièvre ne baisse pas après 3 jours.

2  **Voici des titres de l'actualité sportive. Associe chaque titre à sa rubrique et recopie le ou les mots qui justifient ta réponse !**

1 L'Olympique Lyonnais : 78 000 spectateurs au stade de France !

2 Tout sur les champions du slalom géant.

3 Trente skippers au départ le 9 novembre.

4 Le Tour de France : 21 étapes pour une distance de 3 500 kilomètres.

5 Quatre cents maîtres du monde entier participent à une compétition.

6 McLaren contre Ferrari pour le championnat des pilotes.

Rubriques

Arts martiaux : Titre n°...	**Football :** Titre n°...
Mot(s) :	Mot(s) : ....
Auto / Moto : Titre n°...	**Voile :** Titre n°...
Mot(s) :	Mot(s) : ....
Cyclisme : Titre n°...	**Ski :** Titre ...
Mot(s) :	Mot(s) : ....

Production écrite (25 points)

1 **Tu désires faire ton « stage de découverte en entreprise » dans un magasin de sport ! Écris ta lettre de motivation au directeur (à la directrice) du magasin ! (70-80 mots, en plus du début et de la fin de la lettre ci-dessous.)**

(ville) ..., (date) le ... 20...

Monsieur le Directeur (Madame la Directrice),

J'ai appris qu'il était possible de faire un « stage de découverte en entreprise » dans votre magasin. Je serais très intéressé(e), car ... Dans l'attente de votre réponse, je vous prie d'agréer, Monsieur le Directeur (Madame la Directrice), mes salutations les meilleures.

2 **Tu viens de terminer ton « stage de découverte en entreprise » (voir plus haut). Tu écris un message à ton copain (à ta copine) pour lui expliquer ce que tu as fait et lui donner tes impressions ! (80 mots)**

Salut !
J'ai fini mon stage aujourd'hui : j'ai travaillé au rayon ... . Au début ... Ensuite ... À la fin ...

Production et interaction orales (25 points)

1 **Tu racontes que tu as vu un phénomène étrange ou un objet mystérieux !**

Voilà : c'était avant-hier. Il faisait déjà nuit. Tout à coup, j'ai vu ... J'ai aussi entendu ...

2 **Tu es dans une agence de voyages. Tu veux acheter des billets de train pour aller à Cannes. Tu indiques tes souhaits : nombre de passagers, date, horaire, etc. au vendeur ou à la vendeuse [= à ton professeur ou à l'examinateur / -trice] !**

Bonjour ! Je voudrais ... billets pour Cannes, s'il vous plaît. Nous voudrions partir le (date) ... , à (heure) .... Il y a des promotions ? ...

À la télé

1 Écoute et raconte ! Puis dis ce qu'exprime chacun des verbes soulignés au conditionnel présent : 1 une demande polie ? 2 une suggestion, un conseil ? 3 un souhait ? 4 une supposition ? Fais une liste !

Image 1

Théo : Je viens de recevoir un message d'Agathe. Elle me dit d'allumer tout de suite la télé : Stanislas passe sur France 3 !

Joséphine : Oui ! Il présente avec son oncle le reportage qu'ils ont fait sur un château hanté en Bourgogne !

Image 2

Théo : Toi, tu ne peux pas regarder la télé : tu as cours cet après-midi. Tu <u>devrais</u> déjà être au collège !

Joséphine : Tu <u>pourrais</u> enregistrer l'émission ou la télécharger ? Tu <u>ferais</u> ça pour moi ?

Image 3

L'oncle de Stanislas : Bonjour ! <u>J'aimerais</u> vous présenter le château de la reine Marguerite de Bourgogne qui <u>serait</u> morte ici même au XIVe siècle.

Image 4

L'oncle de Stanislas : C'est un château plein de secrets, avec ses souterrains[1] mystérieux, son sinistre donjon[2] et... la « chambre de la reine » que nous avons visitée !

Image 5

Stanislas : La voix que nous avons enregistrée <u>pourrait</u> être celle du fantôme de la reine qui <u>voudrait</u> entrer en contact avec nous et qui nous <u>enverrait</u> des messages ! Écoutez ! Qu'en pensez-vous ?

Image 6

Théo : Après les extraterrestres, voilà les fantômes ! Ah, ah, trop drôle !

2 Le conditionnel présent → Complète à l'oral ! Aide-toi du tableau sur le futur simple (page 77) et de l'aide-mémoire ! Puis écoute le CD pour vérifier !

Le conditionnel présent
Terminaisons (futur + imparfait) :
-rais, -rais, -rait, -rions, -riez, -raient

aimer	→ j'aimerais
avoir	→ tu aurais
envoyer	→ il enverrait
réussir	→ nous réussirions
voir	→ vous verriez
vouloir	→ elles voudraient

1 Alors comme ça, il y (avoir) ... des châteaux hantés par des fantômes ?

2 Nous les (voir) ... le soir se promener dans les souterrains ou sur les donjons.

3 Ils (vouloir) ... même entrer en contact avec nous.

4 Ils nous (envoyer) ... des messages.

5 On (réussir) ... même à enregistrer leur voix !

6 Tout cela est idiot et j' (aimer) ... bien que Stanislas arrête de délirer !

1. le souterrain : *un passage sous terre* – 2. le donjon : *la tour principale du château*

3 🎧📖🖊 Lis le programme de télévision ! Puis écoute et note les erreurs : tu as deux écoutes !

Votre programme d'aujourd'hui :   **Mercredi**

TF1	**France 2**	**France 3**	**CANAL+**
15:40 La Bête du Gévaudan Dessin animé : *Un animal fantastique sème la terreur...*	**16:00 Votre santé** Magazine : *Que faire contre les insomnies ?*	**15:00 Histoires de châteaux** Reportage : *Un château hanté en Bourgogne ?*	**15:50 Musique** Concert : *La Mer de Claude Debussy*
17:00 Zoom sur les ados Reportage : *Est-ce que les ados sont bien ou mal dans leur peau ?*	**17:40 L'assassin était dans le train** Série policière	**16:30 Planète mer** Documentaire : *L'Armada de Rouen*	**17:00 Bon appétit !** Magazine : *Les parfums et les saveurs de Provence*
17:50 Les extraterrestres Science-fiction : *Nous ne sommes peut-être pas seuls dans l'univers.*	**18:05 Le meilleur du sport** Documentaire : *La capoeira, un art martial afro-brésilien*	**18:00 Questions pour un champion** Jeu	**18:00 Voyages** Documentaire : *Le tour du monde en ballon*
18:45 Relookez-vous ! Magazine : *Suivez les conseils de votre « coach beauté » !*	**19:00 Le plus grand cabaret du monde** - Divertissement : *Des tours de magie fabuleux !*	**18:50 Le 19/20** Informations	**18:45 Le JT de Canal+** Informations
20:00 Journal Informations	**20:00 Journal** Informations	**20:10 Tout le sport** Magazine	**20:10 Le Grand Journal de Canal+** Divertissement
20:50 Star Academy Divertissement : *Des jeunes chanteurs en compétition*	**20:50 Les pirates** Film d'aventures : *Ils naviguent sur des océans mystérieux...*	**20:50 La Môme (La vie en rose)** Biographie musicale, ce film retrace la vie d'Édith Piaf.	**21:00 Football** Championnat de France Ligue 1 : *Lyon joue contre Marseille.*
23:15 Le parapluie Film comique : *L'ami Louis achète un nouveau parapluie...*	**22:40 Fantôme et détective** Téléfilm : *Le détective chargé de l'enquête est un fantôme !*	**22:50 Spécial auto** Reportage : *Les 24 heures du Mans*	**23:00 Le Horla** Film fantastique : *Un être invisible nous observe...*

grille fictive

4 🎧💬 Écoute et dis à quelle émission correspond chaque enregistrement !

1 Le journal sur France 2 ou le football sur Canal+ ?

2 Le reportage *Zoom sur les ados* sur TF1 ou celui sur les châteaux sur France 3 ?

3 Le film comique *Le parapluie* sur TF1 ou le film fantastique *Le Horla* sur Canal+ ?

4 Le reportage sur les 24 heures du Mans ou le documentaire sur l'Armada de Rouen sur France 3 ?

5 🎧📖💬🖊 Regarde l'exemple et fais ta sélection (A) ! Ton voisin ou ta voisine (B) trouve le titre des émissions (ou des films) et sur quelle chaîne et à quelle heure tu vas les regarder !

Exemple : A Ma sélection : Un reportage sur les ados : ça m'intéresse ! Puis un documentaire sur le tour du monde en ballon : c'est fabuleux ! Et enfin un film d'aventures : j'adore les aventures !

B Alors... tu **voudrais** voir l'émission *Zoom sur les ados* à 17 heures sur TF1 ! Après, tu **aimerais** regarder *Voyages* à 18 heures sur Canal+ ! Enfin, tu **aurais envie** de voir le film *Les Pirates* à 20 heures 50 sur France 2 !

6 🎧📖🖊🗣💬 Phonétique et graphie → L'accent circonflexe : Repère dans le programme de télévision les mots avec un accent circonflexe et écris-les ! Puis écoute leur prononciation et répète !

À la télé

Unité **10** LEÇON 2

PROJET : PRÉSENTER UNE ÉMISSION DE TÉLÉVISION

1 📖📝 📗✏️ **Choisis quelle émission de télévision tu voudrais présenter !**

1 un *divertissement* (chansons, magie de scène, cirque, etc.) ☐

2 un *documentaire* (nature, voyages, animaux, etc.) ☐

3 un *film* ou une *série* (comique, fantastique, d'aventures, de science-fiction, etc.) ☐

4 un *journal* (le journal télévisé, la météo, etc.) ☐

5 un *magazine* (famille, cuisine, consommation, décoration, santé, sport, etc.) ☐

6 un *reportage* (sur un personnage, sur un lieu, sur un fait divers, etc.) ☐

7 ... ☐

2 **Choisis le titre, le contenu de ton émission et ses supports :** vidéos, photos, images, posters, extraits (de films, de musiques et/ou de chansons), informations, etc. Fais des recherches dans une encyclopédie ou sur Internet !

1 *Divertissement* : Quelles chansons ? Quels tours de magie ou numéros de cirque ? etc.

2 *Documentaire* : Quel pays ? Quelle région ? Quel animal (quels animaux) ? etc.

3 *Film* : Quel film ? Quels acteurs et actrices ? *Série* : Quel épisode ? etc.

4 *Journal et / ou météo* : Quelle actualité ? Quelles informations ? Quelle météo ? etc.

5 *Magazine* : Quelle(s) information(s) ? Quel(s) problème(s) ? Quels conseils ? etc.

6 *Reportage* : Quel personnage ? Quel lieu ? Quel fait divers ? etc.

3 💬✏️ **Écris le texte de ta présentation !**

Exemples :

■ *Divertissement (chansons)* : Bienvenue dans notre émission *Vive la chanson* ! Je voudrais vous présenter aujourd'hui un(e) artiste que nous aimons tous : C'est ... ! Voici une chanson qu'il (elle) a chantée au festival de ... . Écoutons-la ! etc.

■ *Documentaire ou reportage* : Bonjour ! Voici *Reportages* et j'aimerais vous emmener aujourd'hui à (en, aux) ... . C'est un pays (lieu) magnifique (étrange) ! C'est là où se passe un événement magique (mystérieux). Voici des images, etc.

■ *Film(s)* : Bonjour à tous et à toutes sur *Canal+* ! Je vous propose une sélection des meilleurs films de la semaine. Il y a d'abord (titre du film), avec (nom des acteurs) : ils sont formidables ! Voici un extrait de ce film, etc.

■ *Journal télévisé* : Madame, monsieur (mesdames, messieurs), bonsoir ! Commençons ce journal par cette première information : ..., etc.

4 💬💬 **Maintenant, entraîne-toi !**

1 Prépare les CD, vidéos, photos, images, posters, etc. dont tu as besoin !

2 Écris le texte de ta présentation en très grosses lettres, sur un « prompteur* » !

3 Mets-toi debout derrière un pupitre ou assis(e) derrière une table, bien droit(e), sourit et... respire bien !

4 Lis le texte de loin (sur le « prompteur ») à voix haute, d'abord lentement.

5 Relis le texte plusieurs fois, de plus en plus vite et de plus en plus fort.

6 Lance les extraits (chansons, vidéos) ou montre les images que tu as préparées.

5 💬💬 **Présente ton émission devant tes « téléspectateurs » (devant la classe) et/ou enregistre-la pour mettre la vidéo sur ton blog ou sur la page web de ton collège !**

---

*le prompteur : *appareil qui fait défiler au-dessus de la caméra de télévision le texte que doit dire la personne visible sur l'écran.*

À la télé

Dijon•

1 🎧 📖 💬 **Écoute, puis présente Soksai et ses tours de magie !**

Bonjour ! Je me présente : je m'appelle Soksai et j'habite à **Dijon**. Mon père et ma mère viennent du Laos ; ils se sont rencontrés en France et sont venus vivre en **Bourgogne**. C'est la région qu'ils ont préférée, parce qu'elle possède des paysages magiques et des lieux mystérieux, comme ce château ! C'est peut-être cela qui m'a fait aimer la magie et devenir apprenti magicien ! Un magicien fait apparaître et disparaître des objets, des animaux ou des personnes ; il les transforme ou il les fait changer de place ! C'est fascinant, non ?

Mes parents n'ont rien contre ma passion, ils me laissent faire. Les premiers tours de magie que j'ai réalisés, c'était avec des cartes à jouer : par exemple, je laissais quelqu'un choisir une carte et je devinais la carte qu'il avait choisie !

La dernière idée que j'ai trouvée, c'est de faire disparaître et réapparaître les objets que les spectateurs m'ont confiés : leurs clefs, leur portable, un bijou, etc. J'ai fait disparaître les clefs de la voiture de mon père (je les ai cachées dans ma veste) ! Il était très surpris et du coup, il m'a laissé conduire sa voiture !

Le château de Couches, dit château de Marguerite de Bourgogne

Le prochain tour de magie que j'ai préparé est un tour fantastique : je ferai planer une personne dans les airs, puis je ferai croire que je l'ai découpée en morceaux et enfin, je la ferai complètement disparaître !

2 😊 📖 😊 📝 **Repère dans le texte de Soksai les verbes *laisser* et *faire* ! Note-les avec leur infinitif complément ! Puis regarde l'aide-mémoire et complète à l'oral avec *fait* ou *laisse* !**

1 Mon professeur de magie me **...** apprendre des tours fabuleux.

2 Il me **...** beaucoup travailler.

3 Mais il me **...** choisir les numéros que je veux présenter.

4 Il me **...** voir des vidéos avec les tours de magie les plus célèbres.

5 Il me **...** comprendre que la magie est un art difficile.

6 Mais quand je suis vraiment fatigué, il me **...** partir plus tôt.

> **laisser faire** qqch. à qqun : *permettre à qqun de faire qqch.*
> **faire faire** qqch. à qqun : *amener qqun à faire qqch.*

3 😊 📖 😊 💬 **Repère à chaque fois le participe passé dans ces phrases du texte ! Il est au singulier ? au pluriel ? au masculin ? au féminin ? Il s'accorde avec quel mot ? Où est placé ce mot ? avant ou après le participe passé ? Donne une règle !**

1 C'est la région qu'ils ont préférée...

2 Les premiers tours de magie que j'ai réalisés...

3 Je devinais la carte qu'il avait choisie...

4 La dernière idée que j'ai trouvée...

5 Les objets que les spectateurs m'ont confiés...

6 Les clefs de la voiture, je les ai cachées dans ma veste...

7 Le prochain tour de magie que j'ai préparé...

8 La personne, je l'ai découpée en morceaux...

À la télé

Apparition*

Écoute et regarde ! Dis ce qui s'est vraiment passé, selon toi ! Puis mets l'histoire en scène avec tes camarades !

1

2 Tu me reconnais ? C'est moi, Maurice ! Alors, mon ami, comment ça va ? Tu habites toujours au château ?

3 Maurice ? Ah oui, bien sûr ! Je vais mal : ma femme vient de mourir, c'est terrible ! Je n'habite plus là-bas. Je ne peux pas... je ne veux plus y retourner !

4 Je suis désolé, est-ce que je peux t'aider ?

Tu pourrais aller au château ? J'ai laissé des papiers dans le tiroir du bureau, dans ma... dans notre chambre. Tu pourrais aller les chercher ? J'en ai besoin !

5 Voici les clefs du château et du bureau ! Merci !

6 Le lendemain ...

Le château paraît complètement abandonné ?!

7 Un vrai château hanté !

8 Voilà sa chambre, voilà... leur chambre... Où est le bureau ? Ah, près de la fenêtre !

9 Et voilà les papiers ! ... Qu'est-ce que c'est ?

*D'après le conte de Guy de Maupassant (1883)

85

Communication

Tu sais maintenant…

■ **repérer des informations sur l'actualité, les spectacles et autres manifestations dans les médias :**
Il y a un reportage sur le tour du monde en ballon sur *Canal+*.

■ **lire un programme de télévision et identifier les contenus d'émissions :**
Documentaire : L'Armada de Rouen

■ **exprimer son intérêt :**
Ça m'intéresse ! C'est fabuleux ! J'adore ! C'est fascinant !

■ **exprimer une demande polie :**
Vous pourriez me brosser les cheveux ?

■ **exprimer une suggestion, un conseil :**
Vous devriez me croire !

■ **exprimer un souhait :**
J'aimerais que Stanislas arrête de délirer.

■ **exprimer une supposition :**
Alors comme ça, il y aurait des châteaux hantés ?

■ **exprimer un jugement dépréciatif, ironique :**
(C'est) trop drôle !

Vocabulaire

Médias, information et magie

l'apparition (*f.*)	le documentaire	le magazine	la sélection
l'apprenti (magicien) (*m.*)	l'émission (*f.*) (U 7)	le magicien	la série
la carte à jouer	l'extrait (*m.*)	le message	le téléfilm
la chaîne (de télévision)	le fantôme	le programme	le téléspectateur
la clé (*ou* clef) [kle]	le film (U 8)	le reportage	le tiroir
le dessin animé	l'information (*f.*)	la science-fiction	le tour de magie (U 2)
le divertissement	le journal	le secret	la voix

Verbes

aller chercher	délirer	laisser faire	reconnaître
allumer (la télé)	disparaître (U 9)	mourir	retourner
apparaître	enregistrer	paraître	retrouver
brosser	envoyer	préparer (U 3)	rêver
cacher	faire faire	présenter	télécharger
découper	inspecter	recevoir (U 8)	transformer (U 6)

Adjectifs et adverbes

abandonné(e)	doucement	lentement	tout de suite
assis(e)	droit(e)	mort(e) (U 1)	vite
complètement	fort(e) (U 5)	surpris(e)	à voix basse
debout	hanté(e)	terrible	à voix haute

Grammaire

Le verbe *connaître* (voir aussi *reconnaître, paraître, apparaître* et *disparaître*)

présent : je connai**s**, tu connai**s**, il / elle / on connaî**t**, nous connai**ssons**, vous connai**ssez**, ils / elles connai**ssent**

imparfait : je connai**ssais** ; *futur simple* : je connaî**trai** ; *conditionnel présent* : je connaî**trais** ; *passé composé* : j'ai **connu**

Le conditionnel présent

■ *Il sert à exprimer*
– *une demande polie* : Tu **pourrais** enregistrer l'émission ?
– *une suggestion, un conseil* : Tu **devrais** déjà être au collège !
– *un souhait* : J'**aimerais** vous présenter le château de la reine.
– *une supposition* : Elle **serait** morte ici même.

■ *Il se forme en ajoutant les terminaisons* **-rais, -rais, -rait, -rions, -riez, -raient**
(= *futur simple + terminaisons de l'imparfait*)
– *à la 1re personne du singulier au présent pour les verbes en –er* :
aimer → j'aime → j'aime**rais** ; habiter → j'habite → j'habite**rais**
– *au radical de l'infinitif pour les verbes en –ir ou –re* :
fini **r** → je fini**rais** ; mett **re** → je mett**rais**
– *pour les verbes irréguliers* :
aller → j'**irais** ; avoir → j'**aurais** ; devoir → je **devrais** ; être → je **serais**
envoyer → j'**enverrais** ; tenir → je **tiendrais** ; apercevoir → j'**apercevrais**

L'accord du participe passé

Avec être, *le participe passé s'accorde avec le sujet.*
Il**s** sont parti**s** en Bourgogne.
Avec avoir, *le participe passé s'accorde avec le COD, quand il est placé* **avant** *le verbe* :
La chambre, nous l'avons visité**e**. Ce sont les tours de magie que j'ai réalisé**s**.
Mais on ne fait pas l'accord avec le pronom COD en :
Des tours de magie, j'**en** ai réalisé beaucoup.

L'emploi des verbes *laisser* et *faire* + infinitif

Laisser faire quelque chose à quelqu'un *signifie lui permettre de faire quelque chose.*
Faire faire quelque chose à quelqu'un *signifie l'amener à faire quelque chose.*

Phonétique et graphie

L'accent circonflexe

■ *Il peut se placer sur le a, e, i, o et u.*

■ *Il modifie la prononciation :* â *se prononce* [ɑ], ê *se prononce* [ɛ] *et* ô *se prononce* [o] :
château [ʃɑto], bête [bɛt], être [ɛtʀ], fantôme [fɑ̃tom], même [mom]
Mais le mot bêtise, *formé sur* bête *est prononcé* [betiz] *et non* [bɛtiz] !

■ *L'accent circonflexe indique que le mot contenait une lettre maintenant disparue, souvent un s* : beste → bête ; castel → château ; fenestre → fenêtre ; teste → tête ; cognoscer → connaître ; parescer → paraître ; ester → être

■ *Comme l'accent grave* (là ~ la ; où ~ ou ; à ~ a), *il permet de différencier deux mots qui se prononcent de la même manière* : sûr ~ sur ; dû ~ du ; mûr ~ mur.

Culture et civilisation

Bourgogne et Franche-Comté

La colline de Vézelay

La roche de Solutré

Le gouffre de Poudrey

Le parc naturel du Haut-Jura

Quel paysage te paraît le plus magique ou le plus mystérieux ? Pourquoi ?

Quel serait le paysage le plus magique ou le plus mystérieux de ta région ou de ton pays ?

On s'installe

1 🔊💬 Écoute bien ! Repère ce que les amis ont décidé de faire au début des vacances !

Image 1

Agathe : Et si on louait un gîte pour le début des vacances, tous ensemble ?

Théo : Avec les parents, les frères et sœurs, cela ferait une quinzaine de personnes...

Image 2

Max : Écoutez cette petite annonce : « Maison de vacances, 320 mètres carrés, huit chambres et un studio ; piscine privée ; au centre d'un parc de cinq hectares. À proximité : parapente, escalade, spéléologie... » Et... le prix est très correct !

Image 3

Théo : Planer dans les airs !

Joséphine : Grimper jusqu'aux sommets !

Léa : Explorer des gouffres et des cavernes !

Agathe : Rêver au bord de l'eau !

Théo, Léa, Joséphine, Agathe : Trop cool !

Image 4

Stanislas : Qu'est-ce que vous faites pour les vacances ?

Joséphine : On loue un gîte !

Image 5

Stanislas : C'est une très bonne idée ! Ma famille adore les gîtes !

Max : Euh... toute ta famille viendrait ? Ça fait combien de personnes ?

Stanislas : Ben, une vingtaine de personnes, avec mes petits-cousins ! Je ne sais pas vivre sans ma famille...

Image 6

Max : Tu ne sais pas, mais tu peux apprendre, non ?

2 📖💬 Lis ce que dit Agathe et explique (L1) quand on emploie *savoir* ou *pouvoir* ! Puis complète à l'oral avec *sait* ou *peut* et écoute le CD pour vérifier !

Mes amis, qu'est-ce qu'ils savent ou ne savent pas faire ? Qu'est-ce qu'ils peuvent ou ne peuvent pas faire ?

Je **sais** nager, mais je ne **peux** pas nager loin de la plage, j'ai trop peur !

1 Max ... très bien dessiner, mais il ne ... pas dessiner quand il fait trop froid et qu'il a mal aux mains.

2 Théo ... faire de la musique, mais il ne ... vraiment pas conduire : il a souvent des accidents avec son scooter.

3 Léa est courageuse : elle ... descendre dans un gouffre ou elle ... explorer une caverne ; elle n'a pas peur, elle !

4 Joséphine ne ... pas se coiffer et s'habiller, elle n'a jamais appris, mais elle ... encore changer de look !

5 Stanislas ne ... pas vivre sans sa famille, mais il ... apprendre, non ?

3 😊📖😊✍ **Lis et associe !** Exemple : 1-A

Location de vacances « PLEIN SOLEIL »

Grande maison
de caractère à 200 mètres
de la plage !

Elle comprend :
– un très grand salon de 40 m² avec télévision
– 3 chambres
– 2 salles de bains et WC
– une cuisine avec cuisinière **(1)**, réfrigérateur **(2)**, machine à laver **(3)** et four à micro-ondes **(4)**
– parking à proximité

Sont fournis :
– *les draps* **(5)**
– *les couvertures* **(6)**
– *un aspirateur* **(7)**
– *un balai* **(8)**
– *les ustensiles de table* **(9)**
– *une poubelle* **(10)**

Confort et calme pour des vacances réussies !

> On a trouvé cette annonce sur Internet. Alors mon père a écrit pour louer la maison...

M. et Mme Dubois
3 Bd Victor Hugo
59000 Lille

Le 17 avril
Location de vacances
Plein Soleil

Madame, Monsieur,

J'aimerais passer deux semaines, du 4 au 17 août, dans votre gîte avec ma famille. Nous avons deux enfants. Merci de nous dire si c'est possible. En attendant votre réponse, je vous prie d'agréer, Madame, Monsieur, mes salutations distinguées.

Richard Dubois

A | B | C | D | E
F | G | H | I | J

4 😊📖😊✍ **Le pronom *on*** → Écoute d'abord le texte du blog ! Puis attribue à chaque *on* une de ces trois valeurs : **1** *on* = **tout le monde, les gens** – **2** *on* = **ils, elles** – **3** *on* = **nous** ! Puis écris la lettre de réclamation !

En France, on (1) a la passion des locations ! Mais il y a des déceptions...
Nous arrivons donc le 4 août à notre location de vacances. Le parking est à 500 mètres et nous traînons les bagages jusqu'à la maison. Devant la porte : une poubelle... pleine ! <u>On</u> (2) ne vide pas les poubelles dans cette ville ? Nous poussons la porte et nous entrons. <u>On</u> (3) n'a rien nettoyé : l'aspirateur et le balai sont restés au placard !
Dans la cuisine, <u>on</u> (4) a laissé la vaisselle dans l'évier, et <u>on</u> (5) a oublié un vieux morceau de fromage dans le frigo[1] : ça sent très mauvais ! Le four à micro-ondes est plein de champignons ! <u>On</u> (6) fait l'inventaire des ustensiles de table : il en manque la moitié !
Le « très grand salon » est vide : il y a juste un vieux canapé et la télévision n'est pas branchée. Les chambres sont très petites et <u>on</u> (7) n'a pas fait les lits. <u>On</u> (8) trouve les draps et les couvertures dans une armoire, mais ils sont sales. <u>On</u> (9) les met dans la machine à laver... qui est en panne. Cette location ne vaut vraiment rien ! <u>On</u> (10) est très en colère et <u>on</u> (11) part s'installer au camping ! <u>On</u> (12) va écrire une lettre de réclamation !

5 😊📖😊💬 **L'écriture du son [sjɔ̃]** → Écoute et lis à voix haute !

En France, on a la passion des locations et des pensions[2] : mais il y a des déceptions et... des lettres de réclamation !

---

1. le frigo : *le réfrigérateur* – 2 la pension *(de famille)* : *un hôtel avec des conditions « familiales » d'hébergement et de nourriture*

On s'installe

1 🎧 📖 💬 **Écoute et lis ! Puis présente Lily, sa ville, son nouveau et son ancien quartier ! Ensuite repère les pronoms possessifs soulignés : ils remplacent quels mots ?**

Toulouse

Toulouse, la Ville rose

Ça va ? Je m'appelle Lily et j'habite à **Toulouse**, dans la région **Midi-Pyrénées**. Toulouse est la quatrième ville de France. On l'appelle « la Ville rose », parce que beaucoup de maisons sont construites en briques roses... <u>La nôtre</u> aussi est rose : c'est une jolie maison à deux étages et notre appartement est au rez-de-chaussée. On vient d'y emménager !

Notre nouvelle adresse c'est *12, rue des Jardins*. C'est une petite rue calme, dans le centre, pas très loin de la cathédrale. Avant, on habitait dans un immeuble de huit étages dans un quartier bruyant, avec beaucoup de circulation, boulevard de la Gare. Notre appartement de trois pièces faisait 60 mètres carrés et nous habitions au huitième et dernier étage : l'ascenseur tombait toujours en panne...

Maintenant, nous avons cinq pièces sur 90 mètres carrés. Mon frère et moi, nous avons chacun notre chambre. On la décore selon nos passions. <u>Les siennes</u> c'est le parapente et l'escalade. <u>Les miennes</u> c'est le canyoning et la spéléologie. Sa chambre est claire comme le ciel. <u>La mienne</u> est sombre comme une caverne ! Voilà les photos que j'ai faites dans les montagnes des Pyrénées ; c'est là où nous allons faire du sport : pas mal, non ?

2 📖 💬 **Remplace les mots soulignés par un pronom possessif et pose la question à ton voisin ou à ta voisine ! Il (Elle) te répond !** (Aidez-vous du tableau page 96.)

Exemple : L'adresse de Lily, c'est *12 rue des Jardins*. Quelle est <u>ton adresse</u> ? → Quelle est **la tienne** ? – **La mienne**, c'est...

1 La ville de Lily, Toulouse, est une « ville rose ». Quelle couleur aurait <u>notre ville</u> ? →

2 Il y a des quartiers calmes et des quartiers bruyants. Comment est <u>son quartier</u> ? →

3 En montagne, Lily et son frère peuvent pratiquer de nombreux sports. Quels sont <u>leurs sports</u> ? →

4 La maison où elle vit avec sa famille a deux étages. Combien d'étages a <u>votre maison</u> ? →

5 Sa chambre ressemble à une caverne ! À quoi ressemble <u>ta chambre</u> ? →

3 💬 **Prépare-toi à parler de ta chambre et de son aménagement à ton voisin ou à ta voisine !**

Comment tu as aménagé ta chambre ? Décris-la (ou décris la pièce où tu dors) à ton voisin ou à ta voisine !

1 Fais un plan de ta chambre (ou de la pièce où tu dors) !

2 Décris les meubles (ton bureau ou ta table, ton lit, ton armoire, ta commode, ton fauteuil ou ta chaise, etc.) !

3 Décris les couleurs des murs, des rideaux, etc. ! ... Tu as des posters, des photos sur les murs ? ...

4 C'est toi qui as décoré ta chambre ? ... Tu voudrais changer quelque chose ? les meubles ? les couleurs ? Explique ! ...

On s'installe

PROJET : ORGANISER UNE « FÊTE DES VOISINS »

Et si tu invitais tes voisins à une fête ?

En France, l'idée d'une *Fête des voisins* est née en 1990. L'association *Immeubles en fête* voulait créer ou renforcer des liens de proximité entre voisins. Elle a réalisé des projets pour aider les personnes en difficulté, les handicapés, les chômeurs ou les gens âgés. Ces personnes sont souvent seules. En 1999, une première *Fête des voisins* réunissait à Paris 800 immeubles et 10 000 habitants. Neuf années plus tard il y avait neuf millions de participants dans 27 pays !

Peut-être que cette fête est déjà organisée dans ton pays, ta ville ou ton quartier ? Si oui, participe à son organisation ! Si non, lance sa première « édition » avec ta famille et tes amis !

1 La préparation

Discute avec ta famille, tes amis et quelques voisins dans ta rue ou ton quartier :
Avec eux...
1 ...choisis la date de la fête,
2 ... choisis l'heure,
3 ... choisis le lieu : ce sera plutôt la cour, l'entrée ou le hall de votre immeuble. Vous pourrez aussi organiser la fête dans la rue, si cela est possible. (Il faudra peut-être avoir l'accord de la mairie ou d'une administration ou du commissariat de police.)

2 L'invitation

1 Rédige l'invitation ! Et si tu la rédigeais en français ?
2 Tu peux joindre l'affichette des *Immeubles en fête*[1], si tu veux !

3 L'installation

1 Combien de personnes pourraient venir ?
2 Combien est-ce qu'il faudrait de tables et de chaises ?
3 Combien est-ce qu'il faudrait de verres, d'assiettes, de couteaux, de fourchettes, de cuillères, de plats, de tasses ? Fais l'inventaire !

4 Le boire et le manger

1 Avec ta famille, tes amis, tes voisins, faites une liste des boissons à prévoir : de l'eau, du vin, des jus de fruits, du thé, du café ?
2 Prévoyez aussi de quoi manger : des biscuits pour un apéritif ? un barbecue ? un repas avec entrées, plats et desserts : des pâtés, des salades, des plats de viande ou de poisson, des légumes, des fruits, des gâteaux, des tartes ? Décidez qui préparera quoi !

5 L'ambiance

1 Pense à la décoration (guirlandes, fleurs, ballons, etc.) et à la musique ! Et si tu faisais chanter *la chanson de la fête des voisins* ?
2 Le jour de la fête, personne ne doit rester « dans son coin[2] » : chacun se présente à ceux qu'il ne connaît pas encore !

Bonne fête des voisins !

Chers voisins !

Vous êtes invités à la *Fête des voisins* qui aura lieu
le (date) …
à (heure) …
dans la cour de l'immeuble.

Apportez des tables et des chaises, des assiettes et des verres, à boire et à manger et… une bonne ambiance !

À bientôt !

---

6 Écoute et chante la chanson de la fête des voisins !

Et si on se rencontrait,
Si on se parlait
Entre voisins, comme des copains ?

Chacun mettrait un peu d'ambiance,
Chacun viendrait faire connaissance,
C'est plus facile qu'on ne le pense !

Et si on se retrouvait,
Si on s'entraidait
Entre voisins, comme des copains ?

---

1. Site de l'association : www.immeublesenfete.com – 2. rester dans son coin : *rester à l'écart*

On s'installe

Qui sait ?*

Écoute et regarde ! Puis raconte l'histoire !

10. Ma table... mes chaises... mon bureau !? Tous mes meubles sont ici !

11. Bon... bonjour ! Voilà... je suis en train d'aménager ma maison. Je... j'aimerais acheter ces chaises !

Mais bien sûr, monsieur !

Une demi-heure plus tard...

12. Il y a six mois, on m'a volé tous mes meubles : je les retrouve aujourd'hui chez un antiquaire ! Voici l'adresse.

Commissariat de police

Allons-y !

13. Fermé ? Nous allons faire ouvrir la boutique !

Fermé

14. Mais... ces meubles ne sont pas les miens !

Même pas quelques-uns ?

Non, aucun !

15. Mes meubles... sont revenus ! Mais... qui est cet homme ?

Le lendemain...

16. Voilà : un antiquaire a vidé ma maison de tous ses meubles. Il pourrait recommencer... Il m'en veut, j'en suis sûr !

Hôpital psychiatrique

17. J'ai peur, je deviens fou. Est-ce que je peux rester ? Ici, je suis en sécurité !

18. Mais si l'antiquaire devenait fou, lui aussi ? Et si on le conduisait dans cet asile ?

*D'après le conte de Guy de Maupassant (1890)

Communication

Tu sais maintenant…

■ exprimer une compétence acquise :
Je sais nager.

■ exprimer une capacité, une possibilité :
Je ne peux pas nager loin de la plage.

■ exprimer une proposition :
Et si tu invitais tes voisins ?

■ exprimer une possession :
Mais, c'est mon armoire ? Oui, c'est la mienne !

■ exprimer un jugement dépréciatif :
Ça ne vaut vraiment rien !

■ Introduire un propos ou une information,
de manière informelle :
Ben, une vingtaine de personnes.

Vocabulaire

Habitat

l'adresse (f.)	la circulation	l'immeuble (m.)	la proximité
l'ambiance (f.)	la cour	l'invitation (f.)	la quinzaine
l'appartement (m.)	l'entrée (f.)	le mètre carré	le rez-de-chaussée
l'ascenseur (m.)	l'étage (m.)	le parking	le studio
le boulevard	le hall	la pièce	la vingtaine

Gîte et équipements

l'aspirateur (m.)	la cuisinière	le gîte	la poubelle
les bagages (m. pl.)	la décoration	la machine à laver	la réclamation
le balai	le drap	la panne (en panne)	le réfrigérateur
le canapé	l'évier (m.)	la petite annonce	le salon
la couverture	le four à micro-ondes	le placard	la vaisselle

Sports de montagne et sentiments…

le canyoning	la colère (en colère)	l'escalade (f.)	le parapente
la caverne	la déception	le gouffre	la spéléologie

Alimentation

l'apéritif (m.)	le biscuit	le légume	la tarte
le barbecue	le fruit	le pâté	la viande

Verbes

aménager	faire l'inventaire de	louer	traîner
brancher	grimper	organiser	valoir
décorer	s'installer	pousser	vider
emménager	inviter (U 8)	sentir bon / mauvais	en vouloir à qqun

Adjectifs, adverbes et pronoms

aucun(e)	chacun(e)	plein(e) ≠ vide	propre ≠ sale
certain(e,s)	ensemble	plusieurs	quelques uns / unes

Grammaire

Les pronoms possessifs

	singulier		pluriel	
	masculin	féminin	masculin	féminin
je	le mien	la mienne	les miens	les miennes
tu	le tien	la tienne	les tiens	les tiennes
il / elle	le sien	la sienne	les siens	les siennes
nous / on	le nôtre	la nôtre	les nôtres	
vous	le vôtre	la vôtre	les vôtres	
ils / elles	le leur	la leur	les leurs	

Ce sont vos meubles ? Oui, ce sont **les miens** !

Les adjectifs et pronoms indéfinis

chaque → chacun(e)
quelques → quelques-uns / quelques-unes
certain(e, s) → certain(e,s)
plusieurs → plusieurs
aucun(e) → aucun(e)
tout(e,s) → tout(e,s)

Les verbes *pouvoir* et *savoir* + infinitif

Savoir *exprime la compétence acquise :*
Joséphine ne **sait** pas se coiffer et s'habiller.
Pouvoir *exprime la capacité, la possibilité :*
Mais elle **peut** encore changer de look !

Les valeurs de *on* : tout le monde, ils / elles, nous

(tout le monde, les gens) : En France, **on** a la passion des locations.
(ils / elles) : Dans la cuisine, **on** a laissé la vaisselle dans l'évier.
(nous) : **On** part s'installer au camping.

La conjonction *si* + imparfait

Elle exprime une proposition ou une supposition.
Et **si** on louait un gîte pour les vacances ?
Mais **si** l'antiquaire devenait fou, lui aussi ?

Graphie

L'écriture du son [sjɔ̃]

Huîtres (d'Arcachon)

Poulet (basquaise)

Roquefort

Cannelés (de Bordeaux)

**Tu ne connais sans doute pas ces spécialités.
Tu voudrais goûter laquelle ? Pourquoi ?**

Tous en scène !

1 🎧📖💬 Écoute et dis comment les amis se sont organisés pour mettre en scène leur pièce de théâtre !

Image 1

Max : On est venus au Festival d'Avignon, grâce à la cousine ou à la belle-mère de Stan, je ne me souviens plus... On joue notre pièce de théâtre demain soir ici, dans cette salle du *Festival Off*[1] ! J'ai le trac !

Image 2

Agathe : Les décors, les lumières et la musique sont prêts, mais les costumes...

Joséphine : Calme-toi, je vais te lire ton horoscope[2] ! Tu es de quel signe ? Ah oui, tu es *Sagittaire* ! Écoute : « Ne t'impatiente pas, tu seras bientôt en pleine lumière ! »

Image 3

Théo : C'est toi qui t'occupes des costumes, non ? Alors, dépêche-toi !

Joséphine : Toi, ton signe c'est *Gémeaux*, c'est ça ? Voyons : « Tu t'angoisses trop et tu vas tout faire rater ! »

Théo : Tais-toi, tu m'énerves !

Image 4

Léa : Arrêtez de vous bagarrer !

Théo : Nous bagarrer, nous ? D'abord, je n'aime pas me bagarrer !

Image 5

Léa : Mais si, tu adores ça !

Max : Calmez-vous, on ne va pas se fâcher, quand même !

Image 6

Stanislas : Salut, ça va ? Je me suis occupé de la publicité pour la pièce. J'espère que tout va bien se passer ! Je suis nerveux, pas vous ?

Joséphine : Non, nous on est tout à fait cool !

2 📖💬 L'impératif des verbes pronominaux → Complète à l'oral !

Exemples : 1 (toi – se taire) → Tais-**toi** ! **2** (vous – **ne pas** se fâcher) → **Ne** vous fâchez **pas** !
3 (nous – se calmer) → Calmons-**nous** !

L'impératif des verbes pronominaux	
Impératif affirmatif	**Impératif négatif**
Calme-**toi** !	**Ne** te fâche **pas** !
Calmez-**vous** !	**Ne** vous fâchez **pas** !
Calmons-**nous** !	**Ne** nous fâchons **pas** !

1 (toi – se dépêcher) → ... !

2 (nous – **ne pas** s'impatienter) → ... !

3 (vous – se calmer) → ... !

4 (toi – **ne pas** s'énerver) → ... !

5 (vous – **ne pas** se bagarrer) → ... !

6 (nous – se taire) → ... !

---

1. *En marge du Festival d'Avignon officiel, se tiennent des centaines d'autres spectacles, regroupés sous le nom de Festival Off.* – 2. *L'horoscope : Étude que font les astrologues sur l'avenir des gens, d'après la position des astres à l'heure de leur naissance.*

3 📖🔄 💬 **Lis et réponds !**

Voici des caractéristiques des signes du zodiaque³. Qu'est-ce que tu en penses ? Est-ce qu'elles correspondent à ton caractère ? Tu y crois tout à fait ? Tu y crois un peu ? Tu n'y crois pas du tout ? Pourquoi ? Explique !

Bélier **21 mars-20 avril** spontané(e), impatient(e), courageux (-euse), dynamique	**Lion** **23 juillet-22 août** courageux (-euse), généreux (-euse), fidèle, fier (-ère)	**Sagittaire** **22 novembre-20 décembre** sociable, joyeux (-euse), tolérant(e), imprudent(e)
Taureau **21 avril-20 mai** calme, travailleur (-euse), généreux (-euse), têtu(e)	**Vierge** **23 août-22 septembre** sincère, intelligent(e), gentil(le), modeste	**Capricorne** **21 décembre-19 janvier** travailleur (-euse), fidèle, sincère, sérieux (-euse)
Gémeaux **21 mai-21 juin** intéressant(e), amical(e), spontané(e), nerveux (-euse)	**Balance** **23 septembre-22 octobre** agréable, optimiste, généreux (-euse), indécis(e)	**Verseau** **20 janvier-18 février** intelligent(e), amical(e), inventif (-ive), indécis(e)
Cancer **22 juin-22 juillet** sensible, romantique, sympathique, timide	**Scorpion** **23 octobre-21 novembre** courageux (-euse), sensible, énergique, jaloux (-ouse)	**Poissons** **19 février-20 mars** gentil(le), sensible, artiste, rêveur (-euse)

4 😊✏️ **Fais une recherche : trouve et écris les caractéristiques des signes du zodiaque chinois !**

le rat - le bœuf (le buffle) - le tigre - le lapin (le chat) - le dragon - le serpent - le cheval - la chèvre - le singe - le coq - le chien - le cochon

5 💬 **La construction des verbes pronominaux avec le futur proche** (*aller* + infinitif) **et avec** *aimer, détester, devoir, pouvoir, préférer, savoir, vouloir* + infinitif → **Regarde l'exemple et complète à l'oral !**

VOICI UN HOROSCOPE À ADRESSER À TES AMIS !

Exemple : 1 Bélier – Tu (vouloir s'occuper) de ton look ? Vas-y, dépêche-toi, c'est le moment ! → Tu **veux t'occuper** de ton look ? Vas-y, dépêche-toi, c'est le moment !

2 Taureau – Tu travailles trop en ce moment et tu (aller bientôt se sentir) fatigué(e) : repose-toi ! → **...** !

3 Gémeaux – Tu (ne pas devoir s'impatienter) : ne t'énerve pas, c'est mauvais pour toi ! → **...** !

4 Cancer – Tu (vouloir se sentir) bien dans ta peau ? Alors relaxe-toi ! → **...** !

5 Lion – Tu (savoir se calmer) quand il le faut ! Ne te fâche pas pour un rien ! → **...** !

6 Vierge – Tu (préférer se reposer) ? Ce n'est pas le moment, mets-toi au travail ! → **...** !

7 Balance – Tu (ne pas aimer s'angoisser) ; tu as raison ! Alors, organise-toi à temps ! → **...** !

8 Scorpion – Tu (ne pas devoir se fâcher) avec tes amis, c'est trop bête ! Calme-toi ! → **...** !

9 Sagittaire – Tu (détester se sentir) seul(e) : mais ne parle pas trop et tais-toi quand il le faut ! → **...** !

10 Capricorne – Tu (pouvoir se mettre) vite au travail, mais ne t'angoisse pas trop ! → **...** !

11 Verseau – Tu (aimer s'occuper) de beaucoup de choses ! Mais ne t'impatiente pas ! → **...** !

12 Poissons – Tu (détester s'énerver) ; mais dépêche-toi de finir ton travail ! → **...** !

6 💬 **Repère d'abord les signes ! Puis écoute et chante la chanson de l'horoscope !**

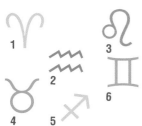

Je suis Taureau, tu es Gémeaux, elle est Verseau,
Lui, il est Lion, vous êtes Poissons, ils sont Scorpion.
Cancer et Sagittaire, on vous dit comment faire...
Capricorne et Bélier, voici vos destinées !
Les Vierge et les Balance, on vous souhaite bonne chance !

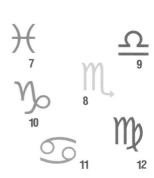

1 2 3 4 5 6 7 8 9 10 11 12

---

3. Les signes du zodiaque : *douze figures correspondant aux constellations de la sphère céleste*

Tous en scène !

1 😊📖 💬 **Écoute, puis présente Émiliano et sa sœur !**

Avignon

Bonjour, ça va ? Je m'appelle Émiliano et j'ai seize ans, presque dix-sept. Je suis né en **Corse**, sur l'île de Beauté. On l'appelle comme ça parce que c'est une île vraiment magnifique. Maintenant, on habite à **Avignon**, la ville du Festival de théâtre et du « pont » !

J'ai une sœur, Isolda, qui a quatorze ans. Ma sœur et moi, nous avons la même passion, la volcanologie. Il n'y a pas trop de volcans en Corse ou en Provence, alors <u>nous nous sommes décidés</u> à aller voir les volcans de la chaîne des Puys, en Auvergne. <u>Ils se sont endormis</u> il y a 6 500 ans et on peut faire de belles excursions !

Ma sœur est *Sagittaire* et moi je suis *Bélier*. Les *Sagittaire* sont agréables, mais imprudents et les *Bélier* sont courageux, mais trop impatients ! Bref, cela nous pose tout le temps des problèmes... Nous sommes descendus dans un des cratères, mais <u>je me suis trop dépêché</u> : je suis tombé, <u>je me suis tordu</u> le pied et <u>je me suis cassé</u> une dent ! Ma sœur a voulu m'aider ; <u>elle s'est blessé</u> la main ! En rentrant au gîte de vacances, <u>je me suis cogné</u> la tête dans la douche et ma sœur <u>s'est brûlé</u> les cheveux avec le sèche-cheveux ! Je ne sais vraiment pas comment <u>elle s'est débrouillée</u>. <u>On ne s'est pas senti</u> le courage de continuer et on est rentrés à la maison !

Corse : Bonifacio

Avignon : le pont Saint-Bénezet, dit pont d'Avignon

Auvergne : la chaîne des Puys

2 😊📖😊🎵💬 **Phonétique : les enchaînements, liaisons et élisions → Réponds d'abord aux questions ! Lis ensuite le texte à voix haute ! Puis réécoute le CD pour vérifier tes réponses !**

1 Repère dans le texte **les mots qui commencent par une voyelle** et note-les ! Puis regarde et écris le mot juste **avant** : il se termine par une voyelle ou par une consonne ?

2 Si ce mot se termine par **le son d'une voyelle**, par exemple : *né* [ne], *j'ai* [ʒɛ], cette voyelle est « enchaînée » à la voyelle suivante et les deux voyelles se suivent sans qu'on coupe la voix : *né en* [neɑ̃], *j'ai une* [ʒɛyn] : c'est **l'enchaînement vocalique**. Trouve deux ou trois autres exemples dans le texte !

3 Si ce mot se termine par **le son d'une consonne**, par exemple : *quatorze* [katɔʀz], *habite* [abit] (le « e final », lui, ne se prononce pas), cette consonne est « enchaînée » à la voyelle suivante : *quatorze ans* = [katɔʀzɑ̃], *habite à* = [abita] : c'est **l'enchaînement consonantique**. Trouve deux ou trois autres exemples dans le texte !

4 Si ce mot se termine par **une consonne non prononcée d'habitude**, par exemple : *c'est* [sɛ], *en* [ɑ̃], *belles* [bɛl], *mais* [mɛ], *trop* [tro], alors cette consonne est prononcée et reliée à la voyelle qui suit : *c'est une île* = [sɛtynil] : c'est **la liaison**. Trouve des exemples !

5 Si ce mot juste avant est *le*, *la*, *ce*, *je*, *me*, *ne*, etc. , il y a une **élision** qui est notée dans l'orthographe par une **apostrophe**, par exemple : *Je m'appelle*, *il n'y a pas*. Trouve deux ou trois autres exemples dans le texte !

3 😊📖 😊🎵 **Les verbes pronominaux au passé composé → Fais deux listes des verbes soulignés dans le texte : une où les pronoms sont COD et l'autre où ils sont COI !** (Aide-toi de la grammaire page 103.)

PROJET : RÉALISER UN QUIZ

1 📖🖊 **Relis les unités de ce livre pour préparer dix questions !**

Prépare tes questions à partir
– des informations données dans les textes,
– des contes et des nouvelles de Guy de Maupassant,
– des photos et des documents proposés,
– des activités et des recherches réalisées dans le cahier d'activités.

🗣🖊 **Prends des notes !**

2 🗣🖊 **Utilise des mots interrogatifs pour poser tes questions, par exemple :**

1 Qui ? Qui est-ce qui ? → *Qui est parti en Amérique ?*

2 Que ? Qu'est-ce que ? Qu'est-ce qui ? → *Qu'est-ce que Julien achète à la Braderie de Lille ?*

3 Comment ? → *Comment s'appelle le parc d'attractions et de loisirs dans les Pays-de-la-Loire ?*

4 Combien ? → *Charlot a combien de frères et de sœurs ?*

5 Où (est-ce que) ? → *Où est-ce que se trouve le volcan du Piton de la Fournaise ?*

6 D'où (est-ce que) ? → *D'où vient Héloïse ?*

7 Pourquoi ? → *Pourquoi Louis doit acheter un parapluie ?*

8 Quel (quelle, quels, quelles) ? → *Quel est le nom de famille de Stanislas ?*

9 Quand (est-ce que) ? → *Quand est-ce que Guy de Maupassant a fait son voyage en ballon ?*

3 🗣🖊 **Écris lisiblement tes dix questions sur une feuille de papier, numérote-les et ajoute ton prénom (et l'initiale de ton nom) à la fin !**

Exemple :

Question 10 : *Il y a combien de chambres dans la location de vacances « Plein Soleil »* ? **Kim V.**

4 🗣💬 **Ton professeur sépare la classe en deux équipes A et B !**

1 Il donne un numéro à chaque « joueur » de l'équipe A : *1, 2, 3, 4*, etc. Il donne également un numéro à chaque joueur de l'équipe B : *1, 2, 3, 4*, etc.

2 Puis il ramasse les feuilles et fait deux tas : les questions écrites par les élèves de l'équipe A pour ceux de l'équipe B et celles écrites par les élèves de l'équipe B pour l'équipe A.

3 Le professeur s'adresse au premier élève de l'équipe A et lui demande quel numéro de question il souhaite ! Le professeur : *Quel numéro ?* L'élève : *Question... 4 !*

4 L'élève de l'équipe A interrogé, et lui seul, répond à la question posée. (Si un autre élève répond, il « offre » un point à l'équipe adverse !) Il a dix secondes pour répondre. Il peut utiliser le livre s'il le souhaite, mais seulement dans le temps imparti !

5 Si l'élève répond correctement, il rapporte un point à son équipe.

6 Puis le professeur s'adresse au premier élève de l'équipe B, etc.

L'équipe gagnante est celle qui a remporté le plus de points !

5 🗣🖊 **Mettez toutes les questions du quiz qui n'ont pas été posées en classe sur la page web de votre collège !** (Tu peux mettre aussi tes questions sur ton blog !)

Prévoyez un prix pour le (la) gagnant(e) du quiz sur Internet : un poème ? une chanson ? un petit discours ? un « diplôme » ?

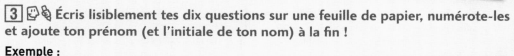

Sur l'eau*

🎧 💬 Écoute et regarde ! Cite les personnages des contes et nouvelles de Maupassant que tu reconnais !
Puis mets en scène cette histoire avec tes camarades !

*D'après le conte de Guy de Maupassant (1881)

Communication

Tu sais maintenant…

■ **empêcher quelqu'un de parler :**
Tais-toi !

■ **exprimer un accord ou un désaccord :**
Tout à fait. Pas du tout. Mais si !

■ **exprimer le fait de te souvenir ou d'avoir oublié :**
Je me souviens. Je ne me souviens plus.

■ **exprimer un espoir :**
J'espère que tout va bien se passer !

■ **rassurer :**
Calme-toi ! Ce n'est rien !

■ **féliciter :**
Bravo ! Félicitations !

■ **exprimer un point de vue :**
À mon avis, tout est très réussi !

Vocabulaire

Signes du zodiaque

la Balance (23 sept.-22 oct.)	le Capricorne (21 déc.-19 janv.)	les Poissons (19 févr.-20 mars)	le Taureau (21 avr.-20 mai)
le Bélier (21 mars-20 avr.)	les Gémeaux (21 mai-21 juin)	le Sagittaire (22 nov.-20 déc.)	le Verseau (20 janv.-18 févr.)
le Cancer (22 juin-22 juil.)	le Lion (23 juil.-22 août)	le Scorpion (23 oct.-21 nov.)	la Vierge (23 août-22 sept.)

Signes du zodiaque chinois : les douze animaux

le bœuf (ou le buffle)	le chien	le dragon	le serpent
le cheval	le cochon	le lapin (ou le chat)	le singe
la chèvre	le coq	le rat	le tigre

Théâtre et volcanologie…

le costume	l'excursion	la publicité	le trac
le cratère	la pièce (de théâtre)	la tournée	le volcan

Verbes

s'angoisser	se cogner	espérer	se reposer
se bagarrer	se débrouiller	s'impatienter	se souvenir de
se brûler	se décider à	se mettre (au travail)	se taire
se calmer	s'endormir	se relaxer	se tordre

Adjectifs et adverbes

amical(e)	imprudent(e)	optimiste	spontané(e)
dynamique	indécis(e)	sensible	tolérant(e)
énergique	inventif / inventive	sérieux / sérieuse	travailleur / travailleuse
fidèle (U 5)	joyeux / joyeuse	sincère	tout à fait
impatient(e)	modeste	sociable	tout le temps

Grammaire

Les verbes pronominaux

■ *Au présent*
se dépêcher : je **me** dépêche, tu **te** dépêches, il / elle / on **se** dépêche, nous **nous** dépêchons, vous **vous** dépêchez, ils / elles **se** dépêchent

■ *À l'impératif*
Impératif affirmatif : Dépêche-**toi** !
Impératif négatif : **Ne** te fâche **pas** !

■ *Au futur proche*
Tu vas **te** dépêcher ! Tu **ne** vas **pas** te fâcher !

■ *Avec des verbes comme* adorer, aimer, détester, préférer, vouloir, devoir, pouvoir, savoir :
Nous devons **nous** dépêcher. Nous **ne** voulons **pas** nous fâcher.

■ *Au passé composé*
Les verbes pronominaux se conjuguent avec l'auxiliaire être. *Le pronom se place devant l'auxiliaire et le participe passé s'accorde avec le sujet.*
Je ne sais pas comment <u>elle</u> s'est débrouill**ée**. <u>Nous</u> nous sommes décid**és**.

Attention !
Elle s'est **blessée**. *Dans cette phrase, le pronom* **s'** *est COD. Le participe s'accorde avec le pronom qui est placé* **avant** *le verbe. (Voir page 87)*
Elle s'est **blessé** <u>la main</u>. *Dans cette phrase, le pronom* **s'** *est COI. Le COD est* la main *; il est placé* **après** *le verbe qui ne s'accorde donc pas avec lui.*

Phonétique

Les enchaînements, liaisons et élisions

■ *Enchaînements*
Elle habite à Paris = [ɛlabitapaʀi]

■ *Liaisons*
Les enfants = [lɛzɑ̃fɑ̃] – Six ans = [sizɑ̃] *(Rappel : pas de liaison après le mot* et*)*

■ *Élisions*
Avec le, la, ce, je, me, ne, *les élisions sont marquées dans la graphie par une apostrophe :*
la + île → l'île – ce + est → c'est
Dans le registre courant : Tu es fatigué ? → T'es fatigué ?

Stratégies

Pour mieux apprendre...

Regroupe et écris les adjectifs qui se terminent par le même suffixe pour mieux les mémoriser et retenir leur accord :
–able : *agréable, capable, sociable*
–ant(e) : *amusant, intéressant, méchant, tolérant*
–ent(e) : *content, impatient, imprudent, intelligent*
–eux (-euse) : *courageux, généreux, joyeux, nerveux, sérieux*
–if (-ive) : *inventif, sportif*
–ique : *dynamique, énergique, romantique, sympathique*

Culture et civilisation

Le Festival d'Avignon

Le palais des Papes

Un spectacle dans la cour d'honneur

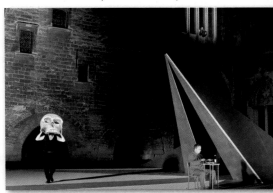

Un spectacle du Festival *Off*

Un spectacle de rue

Regarde les photos et imagine ce que représentent les spectacles : une tragédie ? une comédie ? un numéro de cirque ? un concert ?

Nom : .... Prénom : ....

Compréhension de l'oral (25 points)

[1] **Voici les titres du journal télévisé. Écoute, associe chaque titre à sa rubrique et note le ou les mots qui justifient ta réponse ! Tu as deux écoutes !**

Rubriques

Culture : Titre n°...	*Économie* : Titre n°...	*Politique* : Titre n°...
Mot(s) :	Mot(s) :	Mot(s) : ....
Santé : Titre n°...	*Société* : Titre n°...	*Sport* : Titre n°...
Mot(s) :	Mot(s) :	Mot(s) : ....

[2] **Ta famille a réservé un hôtel en Provence. Tu téléphones pour demander comment y aller. Le propriétaire de l'hôtel te répond. Écoute et coche les bonnes phrases ! Lis d'abord les phrases. Tu as deux écoutes !**

1 ☐ Pour aller à l'hôtel, il faut prendre la route du parc.

2 ☐ Puis il faut prendre à droite après le parc.

3 ☐ Le village est à 3 kilomètres.

4 ☐ Il faut ensuite prendre la rue à gauche en face du garage.

5 ☐ L'hôtel est près d'une boucherie.

6 ☐ Le parking est à 200 mètres de l'hôtel.

Compréhension des écrits (25 points)

[1] **Lis cette recette ! Coche les dessins des ingrédients nécessaires en plus de la pâte, puis coche les bonnes phrases !**

Tarte aux légumes (pour 6 personnes)

Ingrédients
1 pâte brisée
2 carottes
2 courgettes
100 gr de fromage blanc
2 œufs
1 cuillère à soupe de persil
sel et poivre

Lavez d'abord les courgettes et grattez les carottes. Coupez-les et faites-les cuire à la vapeur.
Mettez ensuite la pâte brisée dans un plat à tarte. Mélangez le fromage blanc, les œufs, le persil, le sel et le poivre.
Versez la préparation sur le fond de tarte piqué à la fourchette. Ajoutez ensuite les légumes cuits.
Faites cuire la tarte 35 à 40 minutes à four chaud et servez tiède, ou chaud si vous préférez, avec une salade verte. **Bon appétit !**

1 ☐ Il faut d'abord laver ou nettoyer les légumes, les couper et les faire cuire.

2 ☐ Ensuite, on met directement le fromage blanc dans un plat à tarte.

3 ☐ Puis on ajoute les œufs cuits à la vapeur.

4 ☐ On pique le fond de tarte (la pâte) à la fourchette.

5 ☐ On fait cuire le tout dans une poêle pendant 35 à 40 minutes.

6 ☐ On peut manger la tarte aux légumes chaude ou tiède avec une salade verte.

2 **Lis ce règlement d'immeuble ! Puis écris vrai (V) ou faux (F) et <u>justifie ta réponse</u> !**

	UN IMMEUBLE À VIVRE ENSEMBLE
	Respectez la tranquillité de chacun et évitez de faire du bruit après 22 h 30. Utilisez vos outils de bricolage jusqu'à 19 h 30 en semaine et jusqu'à 18 h 00 le week-end.
	Mettez vos vélos, poussettes ou objets encombrants dans les locaux prévus à cet effet et non pas sur le palier ou dans l'entrée de l'immeuble.
	Les enfants peuvent jouer devant l'immeuble dans les aires de jeux et les espaces verts, mais l'immeuble lui-même n'est pas une salle de jeux.
	Placez vos plantes vertes à l'intérieur de vos balcons et ne jetez pas d'objet ou de détritus (mégots de cigarettes, restes d'aliments,…) par les fenêtres et les balcons.
	Placez vos déchets dans les poubelles prévues à cet effet, ne les laissez pas sur le palier, dans l'escalier ou dans l'entrée de l'immeuble.
	Ayez les bons réflexes pour économiser l'énergie : ■ aérer votre logement régulièrement. ■ ne mettez pas d'objets (canapé, armoire, rideaux,…) devant le radiateur, il a aussi besoin d'air. ■ en cas d'absence prolongée, mettez vos radiateurs sur la position hors gel.
☞	**Chacun est concerné par la qualité de vie dans l'immeuble.**

1 Le règlement demande aux habitants de l'immeuble de respecter la tranquillité de leurs voisins.

2 Il leur demande aussi de respecter l'hygiène et la propreté de l'immeuble.

3 Il demande aussi de mettre les plantes vertes devant le radiateur pour économiser l'énergie.

4 Les vélos et les poussettes doivent être garés dans l'entrée de l'immeuble.

Production écrite (25 points)

1 **Décris dans un courrier à ton (ta) correspondant(e) français(e) ta maison (ton appartement) et ta chambre !** **(90-100 mots)**

J'habite à …, rue (avenue, boulevard, place) … , dans une maison (un appartement), au … étage. Nous avons … pièces sur … mètres carrés. Dans le salon, il y a … . Voici comment ma chambre (la pièce où je dors) est aménagée : …

2 **Écris une lettre de remerciement ou de réclamation au propriétaire de l'hôtel où tu as séjourné avec tes parents (voir plus haut) ! (90 mots en plus du début et de la fin de la lettre ci-dessous.)**

Monsieur, Madame,

Nous avons séjourné dans votre hôtel entre le … et le … . Nous sommes … (contents / déçus / en colère), parce que …

Nous vous demandons de …

Nous vous prions d'agréer, Madame, Monsieur, nos salutations distinguées.

Production et interaction orales (25 points)

1 **Tu vas faire des courses pour la « fête des voisins » que tu organises avec tes amis. Tu vas au marché, à la boulangerie, à la boucherie, etc. Tu t'adresses à chaque fois au vendeur ou à la vendeuse [= à ton professeur ou à l'examinateur / -trice] !**

Bonjour ! Vous avez du (de la, des) …, s'il vous plaît ? – Oui, vous en voulez combien ? – J'en voudrais … (boîtes, bouteilles, briques, kilos, paquets, sachets, etc.) – Vous désirez autre chose ? …

2 **Raconte comment s'est passée cette « fête des voisins » : combien de voisins sont venus, ce qu'ils ont mangé, qui tu as rencontré… Décris la décoration, la musique, les jeux qui l'ont animée !**

La « fête des voisins », c'était il y a trois jours : beaucoup de voisins sont venus … Il y avait …

■ **Saluer et prendre congé :**

Salut à vous ! Salut, à plus tard !

■ **Se présenter soi et sa famille, parler de profession actuelle ou future :**

Mon nom de famille, c'est Martin.
Mon grand-père est cuisinier.
Je voudrais être infirmière.

■ **Répondre à une présentation :**

Enchanté(e) ! – Très heureux, très heureuse !
Bienvenue !

■ **S'excuser :**

Je suis vraiment désolé(e).

■ **Faire une proposition :**

On vous offre un coca ! Vous venez ?
Et si tu invitais les voisins ?

■ **Refuser une proposition, exprimer un désaccord :**

Non, ce n'est pas possible !
Non, pas du tout ! Non, pas question !
Mais si !

■ **Exprimer un accord, une certitude :**

D'accord ! OK !
Vous avez absolument raison !
Tout à fait ! C'est sûr ! Certainement !

■ **Féliciter :**

Bravo ! Félicitations !

■ **Exprimer ses préférences, un sentiment positif :**

J'adore les oiseaux.
Ma fête préférée, c'est le carnaval.
Ça m'intéresse ! C'est extra, fabuleux, fantastique, formidable, magnifique, fascinant !
Je suis bien dans ma peau.

■ **Exprimer un sentiment négatif, dépréciatif :**

J'ai horreur des plages en hiver !
C'est ridicule ! C'est trop drôle !
Ça ne vaut vraiment rien !
C'était vraiment dur, affreusement pénible, horriblement fatigant.
Je suis mal dans ma peau.

■ **Décrire une personne :**

Marion a les cheveux longs et souples.
Avant, tu avais le look d'une petite fille.

■ **Décrire un objet :**

Ton parapluie a l'air un peu fatigué.
Une étoile de mer, c'est léger et fragile.
Le ballon pèse 8 100 Kilos, il vole à mille mètres d'altitude et à une vitesse de 200 kilomètres à l'heure.

■ **Décrire un lieu :**

Sur la plage, le sable est doux.
Le château paraît complètement abandonné ?!

■ **Exprimer la localisation :**

Lille, c'est ma ville : j'y habite avec mes parents.
Tu vas voir la cathédrale ? – Oui, j'y vais.
Tu vas au parc ? – Non, j'en viens.

■ **Comparer :**

Le ballon est plus rapide qu'une voiture mais moins rapide qu'un avion.
La mer brille comme une coquille.

■ **Dire ce qu'on vient de faire :**

Je viens d'arriver.

■ **Décrire une action en cours :**

Ils sont en train de dessiner la plage.

■ **Décrire une action dans un futur proche :**

Je vais partir à Angoulême.

■ **Décrire une action au passé :**

Quand j'étais enfant, j'allais souvent au théâtre.
Avant, tu étais moche.
J'étais dans le train. Tout à coup, ils ont bondi sur moi.

■ **Décrire une action au futur :**

La semaine prochaine, je réaliserai mon rêve.
On fera bientôt un stage !

■ **Demander à quelqu'un de faire quelque chose :**

Passe-moi ta trousse de maquillage !
Vous pourriez me brosser les cheveux ?

■ Observer des instructions :

Je dois ralentir. Je dois m'arrêter.
Je ne peux pas faire demi-tour.

■ Interdire :

Chantier interdit au public. Danger !

■ Empêcher quelqu'un de parler :

Tais-toi !

■ Exprimer un souhait, un conseil :

Bon voyage !
J'aimerais qu'il arrête de délirer !
Vous devriez me croire !

■ Exprimer un soulagement :

Ça y est !

■ Exprimer une condition :

Vite, sinon on va rater le train !
Aidez-moi, sinon, je suis un homme mort !
Si vous êtes encore malades dans cinq jours, vous irez
à l'hôpital.

■ Exprimer une supposition :

Alors comme ça, il y aurait des châteaux hantés ?

■ Exprimer un espoir, rassurer :

J'espère que tout va bien se passer !
Calme-toi ! Ce n'est rien !

**■ Demander une confirmation, s'assurer qu'on a
bien compris :**

Elle a changé de look, hein ?
Si je comprends bien...

■ Rapporter un propos, une question :

Elle dit qu'elle adore les plages en hiver.
Il vaut savoir si tu aimes lire.

■ Introduire et conclure un propos :

Ben... Alors, voilà...
Finalement...

■ Commander ou réserver quelque chose :

Je voudrais réserver un billet pour...
J'aimerais passer deux semaines dans votre gîte...

**■ Indiquer à un professionnel de santé la nature
d'un problème :**

J'ai un rhume, je tousse, j'ai de la fièvre. J'ai mal partout !
J'ai des insomnies.

■ Comprendre des modes d'utilisation de médicaments :

Mettez deux gouttes dans chaque œil.
Une cuillerée de sirop trois fois par jour.

**■ Demander des informations dans une agence
de voyage, une gare, un marché, etc.**

Je voudrais savoir si...

**■ Lire un programme de télévision et identifier
des contenus d'émissions :**

Documentaire : L'Armada de Rouen.

**■ Repérer des informations sur l'actualité, les spectacles
et autres manifestations dans les médias :**

Il y a un reportage sur le tour du monde en ballon sur *Canal+*.

■ Exprimer l'appartenance :

Mais c'est mon armoire ? Oui, c'est la mienne !

■ Exprimer une probabilité :

Peut-être que nous ne pouvons pas voir les extraterrestres.

■ Exprimer une compétence acquise :

Je sais nager.
Elle ne sait pas se coiffer.

■ Exprimer une capacité, une possibilité :

Je ne peux pas nager loin de la plage.
Elle peut changer de look.

■ Évoquer un souvenir :

Je me souviens..., je ne me souviens plus...

■ Mettre en relief un élément de la phrase :

C'est à mon oncle que j'ai demandé de me trouver un stage.
C'est la lavande que je préfère.

■ Exprimer une opinion, un point de vue :

À mon avis, tout est très réussi.

Phonétique

■ Les sons

Bien distinguer la prononciation des **consonnes** :
[b] (*bien*) et [v] (*viens*)
[b] (*bon*) et [p] (*pont*)
[s] (*poisson*) et [z] (*poison*)
[ʀ] (*rêve*) et [l] (*lève*)
[ʃ] (*chaud*) et [ʒ] (*jaune*)
[f] (*froid*) et [v] (*voilà*)...

Bien distinguer la prononciation des **voyelles et des semi-voyelles** :
[ɔ] (*bol*), [œ] (*beurre*) et [ø] (*bleu*)
[ɑ̃] (*banc*), [ɔ̃] (*bon*), [œ̃] (*un*) et [ɛ̃] (*bain*)
[œ] (*sœur*), [ɛ] (*sert*), [y] (*sûr*) et [i] (*sire*)
[y] (*dessus*) et [u] (*dessous*)
[ə] (*marche*), [ɛ] (*marchait*) et [e] (*marché*)
[j] (*fille*), [w] (*oui*) et [ɥ] (*lui*), etc.

[w] / [ɥ] : [w] se prononce avec les voyelles [i], [a] ou [ɛ̃] : *Louis* [lwi], *loi* [lwa], *loin* [lwɛ̃]
      [ɥ] se prononce avec [i] : *lui* [lɥi], *nuit* [nɥi] et [ɛ̃] : *juin* [ʒɥɛ̃]
[e] / [ɛ] sert, par exemple, à différencier le passé composé *j'ai marché* [ʒemaʀʃe] de l'imparfait *je marchais* [ʒəmaʀʃɛ]

■ L'accent de durée

En français, la parole est découpée en « groupes rythmiques » ou « groupes de sens », séparés par une syllabe accentuée et une pause. Plus on parle vite, moins on fait de pauses. La syllabe accentuée est la dernière du groupe rythmique. Elle porte un **accent de durée** et est donc plus longue. Les autres syllabes sont inaccentuées, régulières et continues.

■ L'accent d'insistance

Il ne supprime pas l'accent de durée. C'est un accent volontaire qui sert à exprimer une émotion ou à attirer l'attention. Lorsqu'il s'agit d'une émotion, l'accent d'insistance se place sur la première syllabe si le mot commence par une consonne (*Tu es **pé**nible !*) ou sur la deuxième syllabe si le mot commence par une voyelle ou un *h* muet. (*Quelle ho**rreur** !*)

Lorsqu'il s'agit d'attirer l'attention, l'accent se place sur la syllabe jugée importante (*C'est **ma**gnifique !*) ou même sur toutes les syllabes, si c'est le mot entier qui est jugé important (*C'est **fa-bu-leux** !*).

■ L'enchaînement

Les syllabes se suivent à l'intérieur du groupe rythmique grâce à l'enchaînement vocalique : *Née à Avignon* [neaaviɲɔ̃] ou à l'enchaînement consonantique : *Elle habite à Paris* [ɛlabitapaʀi].

■ La liaison

Quand un mot commence par une voyelle ou un *h* muet, on unit la consonne finale du mot précédent (déterminant, adjectif, préposition, pronom personnel, verbe, etc.) à la voyelle ou au *h* à l'aide des consonnes de liaison [z, t, n, ʀ, p] :
Comme dans‿un grand‿oiseau, nous survolons maintenant la ville.

Il n'y a pas de liaison entre le sujet (sauf s'il est pronom personnel) et le verbe, après un nom singulier et après le mot *et*.

■ L'élision

Avec *le, la, ce, je, me, ne*, l'élision (effacement d'une voyelle finale devant une voyelle initiale) est marquée dans la graphie par une apostrophe : *la + île → l'île – ce + est → c'est*. Dans le registre courant : *Tu es fatigué ? → T'es fatigué ?*

■ Graphies

La graphie <ill> et les sons [l] (*ville, mille*) et [j] (*fille, maquille*)

La graphie <ent> prononcée [ɑ̃] dans les adverbes (*vraiment*), les noms (*moment*), les adjectifs (*content*) ou non prononcée dans les verbes à la 3e personne du pluriel au présent (*écoutent*).

La graphie du son [sjɔ̃] : **-sion** (*pension*), **-ssion** (*passion*), **-tion** (*réclamation*).

■ L'accent grave, l'accent aigu et l'accent circonflexe

L'accent grave ou aigu modifie la prononciation : *é* se prononce [e] et *è* se prononce [ɛ]. Certains verbes alternent le *e* et le *è* : *acheter → j'achète, vous achetez*. D'autres verbes alternent le *é* et le *è* : *espérer → j'espère, vous espérez*.

L'accent circonflexe peut se placer sur le *a, e, i, o* et *u*. Il modifie la prononciation : *â* se prononce [ɑ], *ê* se prononce [ɛ] et *ô* se prononce [o]. Il indique que le mot contenait une lettre maintenant disparue, souvent un *s* : *castel → château*.

Phonétique

■ L'écriture des sons

Voyelles et semi-voyelles			
[a]	*a* → ami		*à* → déjà
[ɑ]	*a* → pas		*â* → théâtre
[e]	*é* → méchant		
	e + consonne finale muette → pied, les		
[ɛ]	*ai* → je sais		*ë* → Noël
	ay → je paye		*ei* → treize
	è → mère		*et* → bonnet
	ê → fête		
	e + consonne finale prononcée → mer		
[i]	*i* → petit		*î* → île
	y → pays		
[ɔ]	*o* → fort		*um* → album
[o]	*au* → animaux		*o* → vélo
	eau → bateau		*ô* → fantôme
[u]	*ou* → sous		*où* → où
	oû → goûter		*oo* → cool
[y]	*u* → plus		*û* → sûr
	eu → j'ai eu (participe passé de avoir)		
[ø]	*eu* → jeu		
[œ]	*eu* + consonne finale prononcée → leur		
	œ → œil		*œu* → sœur
[ə]	*e* → je		
[ɑ̃]	*an* → grand		*am* → jambe
	en → dent		*em* → temps
[ɛ̃]	*in* → lapin		*im* → timbre
	ain → main		*aim* → faim
	ein → peintre		*en* → chien
	ym → symbole		
[œ̃]	*un* → lundi		*um* → parfum
[ɔ̃]	*on* → poisson		*om* → combien
[j]	*i* → idiot		*y* → essayer
	ill → habille		*il* → soleil
	hi → cahier		
[w]	*ou* → oui		*oi* → moi
	oy → moyen		*oin* → moins
[ɥ]	*u* → nuit, duel		

Consonnes			
[p]	*p* → peur		*pp* → appareil
[t]	*t* → tortue		*tt* → assiette
	th → théâtre		
[k]	*c* devant a, o ou u → collège		
	c devant consonne → crêpe		
	ch → techno		*q* → cinq
	qu → musique		*k* → kilo
	ck → racket		*cc* → occasion
[b]	*b* → bon		
[d]	*d* → dessin		*dd* → addition
[g]	*g* devant a, o ou u → garage		
	g devant consonne → gris		
	gh → spaghetti		
[f]	*f* → fleur		*ff* → effrayant
	ph → pharmacie		
[s]	*s* → salut, penser		*ss* → ruisseau
	c devant e ou i → cinéma		
	c → lecon		*ti* → promotion
	sc → piscine		*x* → six, dix
[ʃ]	*ch* → chat		*sh* → tee-shirt
	sch → schéma		
[v]	*v* → ville		*w* → wagon
[z]	*s* entre deux voyelles → rose		
	z → onze, zoo		*x* → sixième
	s et *x* de liaison → les_amis, deux_enfants		
[ʒ]	*j* → jardin		
	g devant e, i ou y → gymnase		
	ge devant a, o ou u → nous mangeons		
[l]	*l* → lac		*ll* → mille
[R]	*r* → robe		*rr* → horrible
[m]	*m* → matin		*mm* → comme
[n]	*n* → nature		*nn* → donner
	mn → automne		
[ɲ] [nj] [ŋ]	*gn* → montagne		
	ni → panier		
	ng → ping-pong		

Grammaire

Le groupe nominal

1 Les adjectifs

■ Accord
L'adjectif s'accorde avec le nom ou le pronom auquel il se rapporte. On ajoute **e** au féminin et **s** au pluriel (féminin pluriel **es**).
Attention ! *doux* / féminin → *douce* – *léger* / féminin → *légère* – *mou* / féminin → *molle* – *sec* / féminin → *sèche*

■ Place de l'adjectif qualificatif
L'adjectif qualificatif est en général <u>après</u> le nom. Mais les adjectifs *bon, mauvais, jeune, vieux, nouveau, grand, petit, gros, beau, joli* sont <u>avant</u> le nom : *C'est une jolie pierre.*
Les adjectifs de couleur, de forme et de texture sont toujours <u>après</u> le nom :
Sur la plage, on a trouvé une étoile de mer rose et un coquillage pointu.

■ Constructions adjectivales (adjectifs + préposition)
Adjectifs + **à** : *fidèle, prêt,* etc. : *Il est fidèle à ses amis.*
Adjectifs + **avec** : *dur, gentil, méchant, sympa,* etc. : *Il est sympa avec tout le monde.*
Adjectifs + **de** : *amoureux, content, fier, heureux, jaloux,* etc. : *Tu es jaloux de Max ?*
Adjectifs + **en** : *fort, nul,* etc. : *Il est très fort en musique.*
Adjectifs + **pour** : *célèbre,* etc. : *Tu peux être célèbre pour tes chansons !*

■ Les adjectifs et les pronoms indéfinis
chaque → *chacun(e)* - *quelques* → *quelques-uns / quelques-unes* - *certain(e,s)* → *certain(e,s)* - *plusieurs* → *plusieurs* - *aucun(e)* → *aucun(e)* - *tout(e,s)* → *tout(e,s)*
Tout exprime un ensemble et a le sens de *entier, entière* : *On danse toute la journée.*
Au pluriel, il peut marquer la périodicité : *Toutes les semaines* (= une fois par semaine)

2 Les pronoms

Pronoms sujets	Pronoms toniques	Pronoms COD	Pronoms COI
je (ou j'*)	moi	me (ou m'*)	me (ou m'*)
tu	toi	te (ou t'*)	te (ou t'*)
il / elle / on	lui / elle	le / la	lui
nous	nous	nous	nous
vous	vous	vous	vous
ils / elles	eux / elles	les	leur

*devant une voyelle a, e, i, o, u, y ou un h muet
Au présent : *Tu **le** vois ? – Non, je ne **le** vois pas.*
Avec un impératif : *Je **te** raconte tout ? – Oui, raconte-**moi** tout ! – Non, ne **me** raconte rien !*
Avec un passé composé : *Tu **lui** as déjà tout dit ? – Non, je ne **lui** ai rien dit !*

■ Le pronom COD *en*
Il remplace un complément introduit par un article indéfini : *Tu veux des mouchoirs ? – Oui, j'**en** veux ! Tu prends une serviette de bain ? – Oui, j'**en** prends <u>une</u> !* Mais avec la négation, il n'y a pas d'article indéfini : *Non, je n'**en** prends pas !*
Il remplace un complément introduit par un article partitif : *Tu as du shampoing ? – Oui, j'**en** ai !*
Avec l'expression d'une quantité : *Tu as assez de dentifrice ? – Oui, j'**en** ai <u>assez</u> !*

■ Les pronoms COI *en* et *y*
En avec un verbe + préposition **de** suivie d'un « inanimé » : *Tu as besoin d'un sèche-cheveux ? – Oui, j'**en** ai besoin !*
Mais avec un verbe + préposition **de** suivie d'un « animé », on utilise le pronom tonique : *Tu as besoin de Léa ? – Oui, j'ai besoin d'**elle** !*
Y avec un verbe + préposition **à** suivie d'un « inanimé » : *Tu t'intéresses aux légendes ? – Oui, je m'**y** intéresse !*
Mais avec un verbe + préposition **à** suivie d'un « animé », on utilise le pronom tonique :
*Tu t'intéresses à Stanislas ? – Oui, je m'intéresse à **lui** !*

■ Les pronoms relatifs *qui, que, où*
Sujet : *C'est un objet **qui** exprime ta personnalité.*
Complément d'objet direct : *C'est le parapluie **que** je t'ai offert.*
Complément de lieu : *C'est une région **où** les légendes sont nombreuses.*
Complément de temps : *C'est le jour **où** tu as vu une araignée.*

■ Les pronoms démonstratifs

singulier		pluriel	
masculin	féminin	masculin	féminin
celui-ci, celui-là	celle-ci, celle-là	ceux-ci, ceux-là	celles-ci, celles-là
celui de…	celle de…	ceux de…	celles de…
celui qui…	celle qui…	ceux qui…	celles qui…

*Regarde ces photos ! Sur **celle-ci**, elle est blonde. Sur **celle** de droite, elle est brune.*

■ Les pronoms possessifs

	singulier		pluriel	
	masculin	féminin	masculin	féminin
je	le mien	la mienne	les miens	les miennes
tu	le tien	la tienne	les tiens	les tiennes
il / elle	le sien	la sienne	les siens	les siennes
nous / on	le nôtre	la nôtre	les nôtres	
vous	le vôtre	la vôtre	les vôtres	
ils / elles	le leur	la leur	les leurs	

*Ce sont vos meubles ? Oui, ce sont **les miens** !*

Le groupe verbal

1 Le passé récent, le présent continu, le futur proche

■ Le **passé récent** décrit une action qui vient de se dérouler : **venir de** (au présent) + infinitif : *Elle vient d'arriver.*
■ Le **présent continu** décrit une action en cours : **être en train de** (au présent) + infinitif : *Ils sont en train de dessiner.*
■ Le **futur proche** décrit une action qui va se dérouler dans un avenir proche : **aller** (au présent) + infinitif : *La nuit va tomber.*
Attention à la construction pour les verbes pronominaux : *Tu vas **te** dépêcher ! Tu **ne** vas **pas** te fâcher !*

2 Le passé composé

■ Avec avoir

***avoir** au présent + participe passé sans accord avec le sujet : *Elle n'a pas fini.*
Le participe passé s'accorde avec le COD, quand celui-ci est placé **avant** le verbe : *La chambre, nous l'avons visitée. Ce sont les tours de magie que j'ai réalisés.*
Mais on ne fait pas l'accord avec le pronom COD en : *Des tours de magie, j'en ai réalisé beaucoup.*

■ Avec être

***être** au présent + participe passé accordé avec le sujet : *Je ne sais pas comment elle s'est débrouillée.*
Il est utilisé avec les verbes pronominaux et les verbes *aller, venir, arriver, partir, monter, descendre, entrer, sortir, rester, passer, retourner, tomber* (ainsi que *naître* et *mourir*) : *Ils sont partis en Bourgogne.*
Attention ! *Elle s'est **blessée**.* Dans cette phrase, le pronom **s'** est COD. Le participe s'accorde avec le pronom qui est placé **avant** le verbe.
*Elle s'est **blessé** la main.* Dans cette phrase, le pronom **s'** est COI. Le COD est la main ; il est placé **après** le verbe qui ne s'accorde donc pas avec lui.

3 L'imparfait

■ Il sert, au passé, à faire une description, à exprimer une habitude ou un événement interrompu par un autre événement :
*Avant, **j'allais** au collège en bus. – **J'étais** assis près de la fenêtre, quand deux jeunes ont bondi sur moi.*

■ Il se forme en ajoutant au radical de la 1re personne du pluriel au présent les terminaisons **-ais, -ais, -ait, -ions, -iez, -aient** :
avoir → nous avons → j'avais – croire → nous croyons → je croyais – finir → nous finissons → je finissais
Exception avec le verbe être : *j'**étais**, tu **étais**, il / elle / on **était**, nous **étions**, vous **étiez**, ils / elles **étaient***

■ L'utilisation du passé composé et de l'imparfait

Dans un récit au passé, on utilise le **passé composé** pour évoquer un événement particulier ou une action précise.
On utilise l'**imparfait** pour évoquer un lieu, une personne ou une situation qui servent d'arrière-plan à cet événement ou à cette action au passé composé : *Max **devait** s'occuper de réserver les billets, mais il **a oublié** de les composter.*

4 Le futur simple

■ Il exprime une action future : *J'essaierai de me rendre utile.*
(Le **futur proche**, lui, exprime une action future très prochaine et quasi certaine.)

■ Il se forme en ajoutant les terminaisons **–rai, -ras, -ra, -rons, -rez, -ront**
– à la 1re personne du singulier au présent pour les verbes en **–er** :
aider → j'aide → j'aiderai –jeter → je jette → je jetterai – lever → je lève → le lèverai
– au radical de l'infinitif pour les verbes en **–ir** ou **–re** : *fini **r** → je fini**rai** – parti **r** → je parti**rai** – di **re** → je di**rai** – mett **re** → je mett**rai***
Verbes irréguliers : *aller → j'**irai** – avoir → j'**aurai** – courir → je **courrai** – devoir → je **devrai** – être → je **serai** – faire → je **ferai***

Le groupe verbal

5 Le conditionnel présent

■ Il sert à exprimer
– une demande polie : *Tu pourrais enregistrer l'émission ?*
– une suggestion, un conseil : *Tu devrais déjà être au collège !*
– un souhait : *J'aimerais vous présenter le château de la reine.*
– une supposition : *Elle serait morte ici même.*

■ Il se forme en ajoutant les terminaisons **-rais, -rais, -rait, -rions, -riez, -raient** (= futur simple + terminaisons de l'imparfait)
– à la 1re personne du singulier au présent pour les verbes en **–er** : *aimer → j'aime → j'aime**rais** – habiter → j'habite → j'habite**rais***
– au radical de l'infinitif pour les verbes en **–ir** ou **–re** : *fini **r** → je fini**rais** – di **re** → je di**rais** – mett **re** → je mett**rais***
Verbes irréguliers : *aller → j'**irais** – avoir → j'**aurais** – devoir → je **devrais** – être → je **serais** – envoyer → j'**enverrais** – tenir → je **tiendrais** – apercevoir → j'**apercevrais***

6 Les constructions verbales :

■ **Verbes + infinitif** (sans préposition)
aimer, détester, préférer, etc. ; écouter, entendre, regarder, sentir, voir ; devoir, pouvoir, savoir, vouloir ; aller et le futur proche ; il faut…, etc. : Je préfère te le dire tout de suite : je ne sais pas danser et je ne veux pas aller à cette fête !

■ **Verbes + préposition *de***
– Verbes + *de* + infinitif
*avoir envie de, avoir besoin de, avoir peur de, avoir raison de, avoir tort de, avoir le temps de, avoir l'air de, arrêter de, décider de, essayer de, finir de, oublier de, etc. : On a décidé **de** partir en train.*
– Verbes + COI (à *qqn*) + *de* + infinitif
*demander à qqn de, dire à qqn de, promettre à qqn de, proposer à qqn de, etc. : Stanislas nous a demandé **de** le suivre.*

– Verbes pronominaux + *de* + infinitif
*se dépêcher de, s'excuser de, s'occuper de, etc. : Agathe s'est dépêchée **d'**aller faire sa valise.*

■ **Verbes + préposition *à***
– Verbes + *à* + infinitif
*apprendre à, arriver à, avoir à, commencer à, continuer à, penser à, réussir à, etc. : Théo va commencer **à** prendre des notes.*
– Verbes + COD + *à* + infinitif
*aider qqn à, inviter qqn à, obliger qqn à, etc. : Joséphine va nous aider **à** faire les maquillages.*
– Verbes pronominaux + *à* + infinitif
*s'amuser à, s'attendre à, se décider à, s'habituer à, s'intéresser à, se mettre à, etc. : On ne s'attend pas **à** remporter un prix.*

La phrase

Le discours et l'interrogation indirects au présent

■ Le discours indirect permet de rapporter ce que dit quelqu'un. Il est introduit par **que (qu')** : *Léa dit : « J'ai horreur des plages en hiver ! »* → *Léa dit **qu'**elle a horreur des plages en hiver.*

■ L'interrogation indirecte est introduite par **si***, quand l'interrogation directe ne comporte pas de mot interrogatif ou qu'elle s'exprime avec *est-ce que* : *Dorian te demande : « **Est-ce que** tu aimes lire ? »* → *Dorian te demande **si** tu aimes lire.*
Sinon, les mots interrogatifs restent les mêmes que dans l'interrogation directe : *« **Combien** de livres tu lis ? »* → *Dorian veut savoir **combien** de livres tu lis.*
* **s'** devant il/ils, *mais pas devant* elle/elles

■ *ce qui* et *ce que* dans l'interrogation indirecte

Qu'est-ce que pose une question sur le COD : *Qu'est-ce que tu as acheté ? un vélo ou un scooter ? – J'ai acheté un scooter.*
Dans l'interrogation indirecte, **qu'est-ce que*** devient **ce que*** : « **Qu'est-ce que** tu as acheté ? » → *Je me demande* **ce que** *tu as acheté.*
Qu'est-ce qui pose une question sur le sujet : *Qu'est-ce qui est plus dangereux ? le vélo ou le scooter ? – Le scooter est plus dangereux.*
Dans l'interrogation indirecte, **qu'est-ce qui** devient **ce qui** : « **Qu'est-ce qui** est plus dangereux ? » → *Je veux savoir* **ce qui** *est plus dangereux.*

La comparaison

1 Le comparatif

		avec un adjectif ou un adverbe	avec un nom	avec un verbe
supériorité	(+)	*plus ... que*	*plus de ... que*	*plus ... que*
égalité	(=)	*aussi ... que*	*autant de ... que*	*autant ... que*
infériorité	(–)	*moins ... que*	*moins de ... que*	*moins ... que*

Le tramway est **plus** *rapide* **que** *le roller et* **moins** *polluant* **que** *le bus.*
Il produit **moins de** CO_2 **que** *la voiture.*
Attention ! *bon(s), bonne(s)* → **meilleur(e)(s)** *– bien* → **mieux**

2 Le superlatif

		avec un adjectif, un verbe ou un adverbe	avec un nom
supériorité	(+)	*le plus* (avec un adjectif = *le, la, les plus*)	*le plus de ...*
infériorité	(–)	*le moins* (avec un adjectif = *le, la, les moins*)	*le moins de ...*

Le vélo, c'est le transport **le moins** *bruyant et* **le plus** *économique.*
L'avion consomme **le plus d'**énergie.*
Attention ! *bon(s), bonne(s)* → **le, la, les meilleur(e)(s)** *– bien* → **le, la, les mieux**

La localisation

1 Dans l'espace

Les pronoms compléments de lieu *en* et *y* :
En exprime le lieu d'où l'on vient.
*Tu reviens de la Braderie ? – Oui, j'***en*** reviens.*
Y exprime le lieu où l'on est et où l'on va.
*Tu es au restaurant ? – Oui, j'***y*** suis.*
*Tu vas voir la cathédrale ? – Oui, j'***y*** vais.*

2 Dans le temps

Les adverbes de temps *maintenant*, *tout à coup* et *alors* :
Ils marquent les étapes d'un récit.
Nous survolons **maintenant** *Paris.* **Tout à coup***, Robur allume les phares.* **Alors***, la foule des Parisiens lève la tête.*

La manière

Les adverbes en *–ment*
Ils se forment en ajoutant *–ment* à l'adjectif au féminin :
heureux / heureuse → *heureuse***ment**
certain / certaine → *certaine***ment**
Exceptions : **vraiment, absolument, gentiment,** etc.

La condition

avec *si* + présent
Si *tu es malade, reste au lit !*

avec *si* + présent (ou passé composé) → **futur**
Si *la toux ne s'est pas arrêtée, vous* <u>prendrez</u> *ces comprimés.*

avec *sinon*
Dépêche-toi, **sinon** *on va rater le train !*

Conjugaisons

Infinitif	Présent	Imparfait	Futur	Conditionnel présent	Passé composé
Verbes en -er					
acheter	j'achète	j'achetais	j'achèterai	j'achèterais	j'ai acheté
	tu achètes	tu achetais	tu achèteras	tu achèterais	
	il / elle / on achète	il / elle / on achetait	il / elle / on achètera	il / elle / on achèterait	
	nous achetons	nous achetions	nous achèterons	nous achèterions	
	vous achetez	vous achetiez	vous achèterez	vous achèteriez	
	ils / elles achètent	ils / elles achetaient	ils / elles achèteront	ils / elles achèteraient	
commencer	je commence	je commençais	je commencerai	je commencerais	j'ai commencé
	tu commences	tu commençais	tu commenceras	tu commencerais	
	il / elle commence	il / elle commençait	il / elle commencera	il / elle commencerait	
	nous commençons	nous commencions	nous commencerons	nous commencerions	
	vous commencez	vous commenciez	vous commencerez	vous commenceriez	
	ils commencent	ils commençaient	ils commenceront	ils commenceraient	
Verbes en -ir					
finir	je finis	je finissais	je finirai	je finirais	j'ai fini
	tu finis	tu finissais	tu finiras	tu finirais	
	il / elle / on finit	il / elle / on finissait	il / elle / on finira	il / elle / on finirait	
	nous finissons	nous finissions	nous finirons	nous finirions	
	vous finissez	vous finissiez	vous finirez	vous finiriez	
	ils / elles finissent	ils / elles finissaient	ils / elles finiront	ils / elles finiraient	
Verbes en -re					
attendre	j'attends	j'attendais	j'attendrai	j'attendrais	j'ai attendu
	tu attends	tu attendais	tu attendras	tu attendrais	
	il / elle / on attend	il / elle / on attendait	il / elle / on attendra	il / elle / on attendrait	
	nous attendons	nous attendions	nous attendrons	nous attendrions	
	vous attendez	vous attendiez	vous attendrez	vous attendriez	
	ils / elles attendent	ils/ elles attendaient	ils / elles attendront	ils / elles attendraient	
Verbes pronominaux					
se lever	je me lève	je me levais	je me lèverai	je me lèverais	je me suis levé(e)
	tu te lèves	tu te levais	tu te lèveras	tu te lèverais	
	il / elle / on se lève	il / elle / on se levait	il / elle / on se lèvera	il / elle / on se lèverait	
	nous nous levons	nous nous levions	nous nous lèverons	nous nous lèverions	
	vous vous levez	vous vous leviez	vous vous lèverez	vous vous lèveriez	
	ils / elles se lèvent	ils / elles se levaient	ils / elles se lèveront	ils / elles se lèveraient	
Verbes irréguliers					
aller	je vais	j'allais	j'irai	j'irais	je suis allé(e)
	tu vas	tu allais	tu iras	tu irais	
	il / elle / on va	il / elle / on allait	il / elle / on ira	il / elle / on irait	
	nous allons	nous allions	nous irons	nous irions	
	vous allez	vous alliez	vous irez	vous iriez	
	ils / elles vont	ils / elles allaient	ils / elles iront	ils / elles iraient	
avoir	j'ai	j'avais	j'aurai	j'aurais	j'ai eu
	tu as	tu avais	tu auras	tu aurais	
	il / elle / on a	il / elle / on avait	il / elle / on aura	il / elle / on aurait	
	nous avons	nous avions	nous aurons	nous aurions	
	vous avez	vous aviez	vous aurez	vous auriez	
	ils / elles ont	ils / elles avaient	ils / elles auront	ils / elles auraient	
être	je suis	j'étais	je serai	je serais	j'ai été
	tu es	tu étais	tu seras	tu serais	
	il / elle / on est	il / elle / on était	il / elle / on sera	il / elle / on serait	
	nous sommes	nous étions	nous serons	nous serions	
	vous êtes	vous étiez	vous serez	vous seriez	
	ils / elles sont	ils / elles étaient	ils / elles seront	ils / elles seraient	
faire	je fais	je faisais	je ferai	je ferais	j'ai fait
	tu fais	tu faisais	tu feras	tu ferais	
	il / elle / on fait	il / elle / on faisait	il / elle / on fera	il / elle / on ferait	
	nous faisons	nous faisions	nous ferons	nous ferions	
	vous faites	vous faisiez	vous ferez	vous feriez	
	ils / elles font	ils / elles faisaient	ils / elles feront	ils / elles feraient	

Conjugaisons

Infinitif	Présent	Imparfait	Futur	Conditionnel présent	Passé composé
boire	je bois tu bois il / elle / on boit nous buvons vous buvez ils / elles boivent	je buvais tu buvais il / elle / on buvait nous buvions vous buviez ils / elles buvaient	je boirai tu boiras il / elle / on boira nous boirons vous boirez ils / elles boiront	je boirais tu boirais il / elle / on boirait nous boirions vous boiriez ils / elles boiraient	j'ai bu
connaître	je connais tu connais il / elle / on connaît nous connaissons vous connaissez ils connaissent	je connaissais tu connaissais il / elle / on connaissait nous connaissions vous connaissiez ils connaissaient	je connaîtrai tu connaîtras il / elle / on connaîtra nous connaîtrons vous connaîtrez ils / elles connaîtront	je connaîtrais tu connaîtrais il / elle / on connaîtrait nous connaîtrions vous connaîtriez ils / elles connaîtraient	j'ai connu
courir	je cours tu cours il / elle / on court nous courons vous courez ils / elles courent	je courais tu courais il / elle / on courait nous courions vous couriez ils / elles couraient	je courrai tu courras il / elle / on courra nous courrons vous courrez ils / elles courront	je courrais tu courrais il / elle / on courrait nous courrions vous courriez ils / elles courraient	j'ai couru
devoir	je dois tu dois il / elle / on doit nous devons vous devez ils / elles doivent	je devais tu devais il / elle / on devait nous devions vous deviez ils / elles devaient	je devrai tu devras il / elle / on devra nous devrons vous devrez ils / elles devront	je devrais tu devrais il / elle / on devrait nous devrions vous devriez ils / elles devraient	j'ai **dû**
dire	je dis tu dis il / elle / on dit nous disons vous dites ils / elles disent	je disais tu disais il / elle / on disait nous disions vous disiez ils / elles disaient	je dirai tu diras il / elle / on dira nous dirons vous direz ils / elles diront	je dirais tu dirais il / elle / on dirait nous dirions vous diriez ils / elles diraient	j'ai dit
dormir	je dors tu dors il / elle / on dort nous dormons vous dormez ils / elles dorment	je dormais tu dormais il / elle / on dormait nous dormions vous dormiez ils / elles dormaient	je dormirai tu dormiras il / elle / on dormira nous dormirons vous dormirez ils / elles dormiront	je dormirais tu dormirais il / elle / on dormirait nous dormirions vous dormiriez ils / elles dormiraient	j'ai dormi
écrire	j'écris tu écris il / elle / on écrit nous écrivons vous écrivez ils / elles écrivent	j'écrivais tu écrivais il / elle / on écrivait nous écrivions vous écriviez ils / elles écrivaient	j'écrirai tu écriras il / elle / on écrira nous écrirons vous écrirez ils / elles écriront	j'écrirais tu écrirais il / elle / on écrirait nous écririons vous écririez ils / elles écriraient	j'ai écrit
lire	je lis tu lis il / elle / on lit nous lisons vous lisez ils / elles lisent	je lisais tu lisais il / elle / on lisait nous lisions vous lisiez ils / elles lisaient	je lirai tu liras il / elle / on lira nous lirons vous lirez ils / elles liront	je lirais tu lirais il / elle / on lirait nous lirions vous liriez ils / elles liraient	j'ai lu
mettre	je mets tu mets il / elle / on met nous mettons vous mettez ils / elles mettent	je mettais tu mettais il / elle / on mettait nous mettions vous mettiez ils / elles mettaient	je mettrai tu mettras il / elle / on mettra nous mettrons vous mettrez ils / elles mettront	je mettrais tu mettrais il / elle / on mettrait nous mettrions vous mettriez ils / elles mettraient	j'ai mis
ouvrir	j'ouvre tu ouvres il / elle / on ouvre nous ouvrons vous ouvrez ils / elles ouvrent	j'ouvrais tu ouvrais il / elle / on ouvrait nous ouvrions vous ouvriez ils / elles ouvraient	j'ouvrirai tu ouvriras il / elle / on ouvrira nous ouvrirons vous ouvrirez ils / elles ouvriront	j'ouvrirais tu ouvrirais il / elle / on ouvrirait nous ouvririons vous ouvririez ils / elles ouvriraient	j'ai ouvert

Conjugaisons

Infinitif	Présent	Imparfait	Futur	Conditionnel présent	Passé composé
partir	je pars tu pars il / elle / on part nous partons vous partez ils / elles partent	je partais tu partais il / elle / on partait nous partions vous partiez ils / elles partaient	je partirai tu partiras il / elle / on partira nous partirons vous partirez ils / elles partiront	je partirais tu partirais il / elle / on partirait nous partirions vous partiriez ils / elles partiraient	je suis parti(e)
perdre	je perds tu perds il / elle / on perd nous perdons vous perdez ils / elles perdent	je perdais tu perdais il / elle / on perdait nous perdions vous perdiez ils / elles perdaient	je perdrai tu perdras il / elle / on perdra nous perdrons vous perdrez ils / elles perdront	je perdrais tu perdrais il / elle / on perdrait nous perdrions vous perdriez ils / elles perdraient	j'ai perdu
plaire	je plais tu plais il / elle / on plaît nous plaisons vous plaisez ils / elles plaisent	je plaisais tu plaisais il / elle / on plaisait nous plaisions vous plaisiez ils / elles plaisaient	je plairai tu plairas il / elle / on plaira nous plairons vous plairez ils / elles plairont	je plairais tu plairais il / elle / on plairait nous plairions vous plairiez ils / elles plairaient	j'ai plu
pouvoir	je peux tu peux il / elle / on peut nous pouvons vous pouvez ils / elles peuvent	je pouvais tu pouvais il / elle / on pouvait nous pouvions vous pouviez ils / elles pouvaient	je pourrai tu pourras il / elle / on pourra nous pourrons vous pourrez ils / elles pourront	je pourrais tu pourrais il / elle / on pourrait nous pourrions vous pourriez ils / elles pourraient	j'ai pu
prendre	je prends tu prends il / elle / on prend nous prenons vous prenez ils / elles prennent	je prenais tu prenais il / elle / on prenait nous prenions vous preniez ils / elles prenaient	je prendrai tu prendras il / elle / on prendra nous prendrons vous prendrez ils / elles prendront	je prendrais tu prendrais il / elle / on prendrait nous prendrions vous prendriez ils / elles prendraient	j'ai pris
savoir	je sais tu sais il / elle / on sait nous savons vous savez ils / elles savent	je savais tu savais il / elle / on savait nous savions vous saviez ils / elles savaient	je saurai tu sauras il / elle / on saura nous saurons vous saurez ils / elles sauront	je saurais tu saurais il / elle / on saurait nous saurions vous sauriez ils / elles sauraient	j'ai su
sortir	je sors tu sors il / elle / on sort nous sortons vous sortez ils / elles sortent	je sortais tu sortais il / elle / on sortait nous sortions vous sortiez ils / elles sortaient	je sortirai tu sortiras il / elle / on sortira nous sortirons vous sortirez ils / elles sortiront	je sortirais tu sortirais il / elle / on sortirait nous sortirions vous sortiriez ils / elles sortiraient	je suis sorti(e)
venir	je viens tu viens il / elle / on vient nous venons vous venez ils / elles viennent	je venais tu venais il / elle / on venait nous venions vous veniez ils / elles venaient	je viendrai tu viendras il / elle / on viendra nous viendrons vous viendrez ils / elles viendront	je viendrais tu viendrais il / elle / on viendrait nous viendrions vous viendriez ils / elles viendraient	je suis venu(e)
voir	je vois tu vois il / elle / on voit nous voyons vous voyez ils / elles voient	je voyais tu voyais il / elle / on voyait nous voyions vous voyiez ils / elles voyaient	je verrai tu verras il / elle / on verra nous verrons vous verrez ils / elles verront	je verrais tu verrais il / elle / on verrait nous verrions vous verriez ils / elles verraient	j'ai vu
vouloir	je veux tu veux il / elle / on veut nous voulons vous voulez ils / elles veulent	je voulais tu voulais il / elle / on voulait nous voulions vous vouliez ils / elles voulaient	je voudrai tu voudras il / elle / on voudra nous voudrons vous voudrez ils / elles voudront	je voudrais tu voudrais il / elle / on voudrait nous voudrions vous voudriez ils / elles voudraient	j'ai voulu

Lexique

Le numéro à gauche est le numéro de l'unité où le mot apparaît pour la première fois. Les adjectifs sont suivis de leur terminaison ou de leur forme au féminin entre parenthèses, si elle est différente du masculin. Les noms sont suivis de leur terminaison au pluriel, si elle est particulière. Les mots qui ont une seule occurrence dans les textes n'ont, en général, pas été retenus dans cette liste.

adj.	adjectif	imp.	impersonnel	n. f.	nom féminin	pron.	pronom
adv.	adverbe	interj.	interjection	n. m.	nom masculin	v. intr.	verbe intransitif
conj.	article	interr.	interrogatif	pl.	pluriel	v. pron.	verbe pronominal
dém.	démonstratif	loc.	locution	poss.	possessif	v. tr.	verbe transitif
indéf.	indéfini(e)	loc. verb.	locution verbale	prép.	préposition	v. tr. ind.	verbe transitif indirect

A

#	français	anglais	espagnol	grec	russe
10	abandonné(e), adj.	abandoned	abandonado(-a)	εγκαταλειμμένος(η, ο)	покинутый(-ая), обездоленный(-ая)
5	abandonner, v. tr.	to abandon	abandonar	εγκαταλείπω	покидать, отказываться от
6	d'abord, adv.	first, at first	primero	πρώτα, στην αρχή,	сначала, прежде всего
8	absolument, adv.	absolutely	en absoluto	καθόλου	абсолютно, совершенно
3	accident, n. m.	accident	accidente	ατύχημα	несчастный случай, авария
3	acheter, v. tr.	to buy	comprar	αγοράζω	покупать/купить
6	acteur, n. m. (-trice), n. f.	actor, actress	actor(-triz)	ηθοποιός	актёр, актриса
8	adopter, v. tr.	to adopt	adoptar	υιοθετώ	усыновить/удочерить, принять
4	adorer, v. tr	to love, adore	encantar	λατρεύω	обожать
11	adresse, n. f.	address	dirección	διεύθυνση	адрес
8	affreusement, adv.	horribly	horriblemente	φρικτά	ужасно, страшно
6	agrandir, v. tr.	to make bigger	agrandar	μεγαλώνω, μεγεθύνω	увеличивать/увеличить
8	agréable, adj.	pleasant	agradable	ευχάριστος(η, ο)	приятный(-ая), милый(-ая)
5	agressif (-ive), adj.	aggressive	agresivo(-a)	επιθετικός(η, ο)	агрессивный(-ая)
6	aider à, v. tr. ind.	to help	ayudar a	βοηθώ να	помогать/помочь
7	aïkido, n. m.	Aikido	aikido	αϊκίντο	айкидо
4	algue, n. f.	seaweed	alga	φύκι	водоросль
4	aller, v. intr.	to go	ir	πάω	идти, ехать
7	aller, n. m.	single / one-way ticket; outward journey	ida (billete de ida)	απλό εισιτήριο	движение в один конец (например, билет в один конец)
10	aller chercher, loc. verb.	to go for, to get	ir a buscar	πάω να βρω	пойти поискать
10	allumer (la télé), v. tr.	to turn on	encender	ανοίγω (την τηλεόραση)	включать/включить (телевизор)
2	alors, adv.	then	entonces	τότε, τη συγκεκριμένη χρονική στιγμή	тогда
2	altitude, n. f.	altitude	altitud	ύψος	высота
9	aluminium, n. m.	aluminium	aluminio	αλουμίνιο	алюминий
11	ambiance, n. f.	atmosphere	ambiente	ατμόσφαιρα, διακόσμηση	среда, атмосфера
11	aménager, v. tr.	to fix up, to fit up	organizar	οργανώνω και διακοσμώ ένα χώρο	устраивать, оборудовать
12	amical(e), adj.	friendly	amistoso(-a)	φιλικός(ή, ό)	дружеский(-ая)
5	amoureux (-euse), adj.	in love	enamorado(-a)	ερωτευμένος(η, ο)	влюблённый(-ая)
6	amusant(e), adj.	fun, funny	divertido(-a)	διασκεδαστικός(ή, ό)	забавный(-ая)
1	animateur, n. m. (-trice), n. f.	talk-show host	locutor(-a)	ανιματέρ	тамада, воспитатель(-ница)
12	(s') angoisser, v. pron.	to worry about	angustiar(se)	αγχώνομαι	наполнять(-ся) тревогой
7	antibiotique, n. m.	antibiotic	antibiótico	αντιβιοτικό	антибиотик
11	apéritif, n. m.	aperitif, pre-dinner drink	aperitivo	ποτό απεριτίφ	аперитив
10	apparaître, v. intr.	to appear	aparecer	εμφανίζω	появляться/появиться
6	apparence, n. f.	appearance	apariencia	εξωτερική εμφάνιση	внешность, внешний вид
10	apparition, n. f.	ghost	aparición	όραμα, οπτασία	появление, явление
11	appartement, n. m.	apartment, flat	apartamento	διαμέρισμα	квартира
6	applaudir, v. tr. et intr.	to applaud, to clap hands	aplaudir	χειροκροτώ	аплодировать
10	apprenti(e), n. m.	apprentice	aprendiz(-a)	μαθητευόμενος	ученик, подмастерье
6	après-demain, adv.	the day after tomorrow	pasado mañana	μεθαύριο	послезавтра
3	araignée, n. f.	spider	araña	αράχνη	паук
5	(s') arrêter, v. pron.	to stop	parar(se)	σταματώ	останавливаться/остановиться
7	arrivée, n. f.	arrival	llegada	άφιξη	прибытие, финиш
8	arriver à, v. intr.	to manage to do	llegar; conseguir; pasar	φθάνω	приезжать/приехать, прибывать/прибыть
7	art martial, n. m.	martial art	arte marcial	πολεμική τέχνη	боевые искусства
6	artiste, n. m. et f.	artist	artista	καλλιτέχνης	артист, артистка
11	ascenseur, n. m.	elevator, lift	ascensor	ασανσέρ	лифт
11	aspirateur, n. m.	vacuum cleaner	aspirador(-a)	ηλεκτρική σκούπα	пылесос
7	assassin, n. m.	murderer	asesino	δολοφόνος	убийца
10	assis(e), adj.	sitting down	sentado(-a)	καθισμένος(η, ο)	сидящий(-ая), сидячий(-ая)
3	association, n. f.	association	asociación	ένωση, σύλλογος	ассоциация
3	attendre, v. tr.	to wait	esperar	περιμένω	ждать
9	(faire) attention, loc. verb.	to be careful	(prestar) atención	προσέχω, δίνω προσοχή	(обратить) внимание
11	aucun(e), pron.	no, none	ningún, ninguno(-a)	κανένας(καμία, κανένα)	ни один, ни одна
8	au début, loc. adv.	at first	al principio	στην αρχή, αρχικά	в начале
2	au-dessous, prép.	below, underneath	debajo	κάτω	под
2	au-dessus, prép.	above, over	encima	πάνω	над
7	aujourd'hui, adv.	today	hoy	σήμερα	сегодня
5	auto-école n. f.	driving school	autoescuela	σχολή οδηγών	автошкола
2	automne, n. m.	autumn, fall	otoño	φθινόπωρο	осень
2	automobiliste, n. m. et f.	motorist	automovilista	οδηγός, αυτοκινητιστής	автолюбитель(-ница)
6	avant, adv.	before	antes	πριν	до, перед, раньше
7	avant-hier, adv.	the day before yesterday	antesdeayer, anteayer	προχθές	позавчера
2	avion, n. m.	airplane	avión	αεροπλάνο	самолёт
8	avoir à (faire qqch.), v. tr.	to have to (do something)	tener que (hacer algo)	έχω να (κάνω κάτι)	+ инфинитив: выражает долженствование (я должен сделать)
7	avoir besoin de, loc. verb.	to need	tener que, necesitar	έχω ανάγκη από	нуждаться
7	avoir envie de, loc. verb.	to want to	tener ganas de	έχω όρεξη για, θέλω να	хотеть
4	avoir horreur de, loc. verb.	to hate	odiar	απεχθάνομαι	ужасно не любить (делать что-то)

B

#	français	anglais	espagnol	grec	russe
11	bagages, n. m. pl.	luggage	equipaje	αποσκευές	багаж
12	(se) bagarrer, v. pron.	to fight	pelear(se)	καβγαδίζω	(по-)драться
9	baisser (température, fièvre), v. tr.	to lower (temperature, fever)	bajar	πέφτει (θερμοκρασία, πυρετός)	понижать (температуру)
6	bal masqué, n. m.	costume party	baile de disfraces / máscaras	μπαλ-μασκέ	костюмированный бал
3	baladeur, n. m.	walkman	walkman	γουόκμαν	вокман, плеер
11	balai, n. m.	broom	escoba	σκούπα	веник, метла

	French	English	Spanish	Greek	Russian
12	Balance (signe du zodiaque), n. f.	Libra	Libra	Ζυγός	созвездие Весов (знак зодиака)
4	baleine, n. f.	whale	ballena	φάλαινα	кит
2	ballon, n. m.	(hot-air) balloon	balón	αερόστατο	мяч
11	barbecue, n. m.	barbecue	barbacoa	μπάρμπεκιου	барбекю
10	bas (basse), à voix basse, loc.	low, in a low voice	bajo(-a), en voz baja	χαμηλός(ή, ό), με χαμηλή φωνή	низкий(-ая), негромко
2	bateau, n. m.	boat	barco	σκάφος, πλοίο, καράβι	лодка, судно
6	beau (belle), adj.	beautiful, handsome, good-looking	guapo(-a)	ωραίος(α, ο)	красивый(-ая)
1	beau-frère, n. m.	stepbrother	cuñado	κουνιάδος	шурин, деверь
1	beau-père, n. m.	stepfather	suegro	πεθερός	свёкор, тесть, отчим
1	beaux-parents, n. m. pl.	stepparents	suegros	πεθερικά	родители жены
12	Bélier (signe du zodiaque), n. m.	Aries	Aries	Κριός	Овен (знак зодиака)
1	belle-mère, n. f.	stepmother	suegra	πεθερά	свекровь, тёща, мачеха
1	belle-sœur, n. f.	stepsister	cuñada	κουνιάδα	свояченица, золовка
5	bête, adj.	silly, stupid	hacer (eso) es una tontería, es absurdo	χαζός	глупый(-ая)
3	bijou, n. m.	jewellery	joya	κόσμημα, μπιζού	украшение
7	billet, n. m.	ticket	billete	εισιτήριο	билет
11	biscuit, n. m.	cookie, biscuit	galleta	μπισκότο	печенье
5	bizarre, adj.	strange	raro(-a),	παράξενος(η, ο)	странный(-ая)
7	blesser, v. tr.	to hurt, to injure	herir	τραυματίζω	ранить
7	blessure, n. f.	injury	herida	τραύμα	рана
4	blond(e), adj.	blond(e)	rubio(-a)	ξανθός(ιά, ό)	белокурый(-ая), светлый(-ая)
12	bœuf, n. m.	ox	buey	βόδι	вол, бык, говядина
2	bois, n. m.	wood	madera	δάσος	дерево, древесина
6	bondir, v. intr.	to jump, leap	botar	πετάγομαι	подпрыгивать, ринуться
3	bonheur, n. m.	good luck	felicidad	ευτυχία, φέρνει γούρι	счастье
6	bouclé(e), adj.	curly	rizado(-a)	σγουρός(ή, ό)	завитой(-ая)
1	boulanger, n. m. (-ère), n. f.	baker	panadero(-a)	αρτοποιός	пекарь, булочник(-ница)
11	boulevard, n. m.	boulevard	boulevard, bulevar	λεωφόρος	бульвар
4	bouteille, n. f.	bottle	botella	μπουκάλι	бутылка
11	brancher, v. tr.	to plug in	enchufar	βάζω στην πρίζα	отвлетлять, соединить/соединить
5	brevet de sécurité routière, n. m.	student license, learner's permit	certificado de seguridad vial	δίπλωμα οδικής ασφάλειας	свидетельство об аттестации по дорожной безопасности
9	brillant(e), adj.	bright	brillante	λαμπερός(ή, ό)	блестящий(-ая)
3	brin de muguet, n. m.	sprig of lily of the valley	ramito de muguete	κλαράκι μυγκέ	веточка ландыша
6	brosse (à cheveux, à dents), n. f.	brush (hair, tooth)	cepillo (para el pelo, de dientes)	βούρτσα (μαλλιών, δοντιών)	щётка (для волос, зубная)
10	brosser, v. tr.	to brush	cepillar	βουρτσίζω	(по-)чистить
2	bruit, n. m.	noise, sound	ruido	θόρυβος	шум
12	(se) brûler, v. pron.	to burn (oneself)	quemar(se)	καίγομαι	обжигаться/обжечься
4	brun(e), adj.	brown	morena(-o)	μελαχρινός(ή, ό)	темный(-ая)
2	bruyant(e), adj.	noisy	ruidoso(-a)	θορυβώδης (ης, ες)	шумный(-ая)
2	bus, n. m.	bus	autobús	λεωφορείο	автобус

C

	French	English	Spanish	Greek	Russian
10	cacher, v. tr.	to hide	esconder	κρύβω	(с-)прятать
8	cadrage, n. m.	framing	encuadre	καδράισμα εικόνας	кадрирование, наводка
8	cafétéria, n. f.	cafeteria	cafetería	καφετέρια	кафетерий
12	(se) calmer, v. pron.	to calm down	calmar(se)	ηρεμώ	успокоить(-ся)
8	caméra, n. f.	camera	cámara, máquina de fotos	κάμερα, βίντεο	киносъёмочная камера
2	campagne, n. f.	country, countryside	champán	εξοχή	сельская местность
11	canapé, n. m.	sofa	sofá	καναπές	диванчик
2	canard, n. m.	duck	pato	πάπια	утка
12	Cancer (signe du zodiaque), n. m.	Cancer	Cáncer	Καρκίνος	созвездие Рака (знак зодиака)
11	canyoning, n. m.	canyoning, canyoneering	descenso de cañones	κάνιονινγκ	каньйонинг
9	capitaine, n. m.	captain	capitán(-tana)	κυβερνήτης	капитан
7	capoeira, n. f.	capoeira	capoeira	καποέιρα	капоэйра
12	Capricorne (signe du zodiaque), n. m.	Capricorn	Capricornio	Αιγόκερως	созвездие Козерога (знак зодиака)
10	carte à jouer, n. f.	playing cards	cartas	χαρτί τράπουλας	игральная карта
5	carte d'assurance, n. f.	insurance card	tarjeta del seguro	ασφαλιστική κάρτα	карта страхования
3	casquette, n. f.	cap	gorra	κασκέτο	кепка
5	(se) casser, v. pron.	to break	romper(se)	σπάω	разбиваться/разбиться
2	cathédrale, n. f.	cathedral	catedral	καθεδρικός ναός	собор (кафедральный)
11	caverne, n. f.	cave	cueva	σπηλιά	пещера
5	célèbre, adj.	famous	famoso(-a)	διάσημος(η, ο)	знаменитый(-ая)
8	célébrité, n. f.	celebrity, famous person	fama	διασημότητα	знаменитость
1	célibataire, n. m. et f.	single	soltero(-a)	ανύπαντρος(η, ο)	холостяк, незамужняя женщина
6	celle (-ci, -là), pron. dém.	this one, that one	esta, esa, aquella	αυτή εδώ, αυτή εκεί	эта
6	celui (-ci, -là), pron. dém.	this one, that one	este, ese, aquel esto, eso, aquello	αυτός εδώ, αυτός εκεί	этот
2	centre (ville), n. m.	center (city center)	centro	κέντρο (πόλης)	центр (города)
9	cercle, n. m.	circle	círculo	κύκλος	круг, окружность
11	certain(e), adj. et pron.	some, certain	cierto(-a)	κάποιος(α, ο)	определённый(-ая), уверенный(-ая), некоторый, кое-кто
8	certainement, adv.	certainly	ciertamente	βεβαίως, σε καμία περίπτωση	конечно
5	certificat d'immatriculation, n. m.	registration (car)	certificado de matrícula	άδεια κυκλοφορίας	свидетельство о регистрации
11	chacun(e), pron.	each (one)	cada uno(-a)	καθένας(καθεμία, καθένα)	каждый(-ая)
10	chaîne (de télévision), n. f.	channel (tv)	cadena, canal	κανάλι (τηλεοπτικό)	канал (телевизионный)
2	champ, n. m.	field	campo	αγρός	поле, нива
6	changer, v. tr.	to change	cambiar	αλλάζω	менять/изменить
2	char (à voile), n. m.	land yacht	carro a vela	ιστιο-τροχοφόρο (για την άμμο)	буер
2	château, n. m.	castle	castillo	κάστρο	замок
12	cheval, n. m.	horse	caballo	άλογο	лошадь
12	chèvre, n. f.	goat	cabra	κατσίκα	коза
12	chien, n. m.	dog	perro	σκύλος	собака
6	choisir, v. tr.	to choose	elegir	διαλέγω	выбирать/выбрать
1	chômage, n. m.	unemployment	paro, desempleo	ανεργία	безработица
6	cil, n. m.	eyelash	pestaña	βλεφαρίδα	ресница
11	circulation, n. f.	traffic	tráfico	κυκλοφορία	оборот, уличное движение
4	clair(e), adj.	light	claro(-a)	φωτεινός(ή, ό)	светлый(-ая)
6	classique, adj.	classical	clásico(-a)	κλασικός(ή, ό)	классический(-ая)
10	clé, clef, n. f.	key	llave	κλειδί	ключ
8	client, n. m.	client	cliente(-a)	πελάτης	клиент
2	climat, n. m.	climate	clima	κλίμα	климат

5	code de la route, n. m.	highway code	código de circulación	κώδικας οδικής κυκλοφορίας (Κ.Ο.Κ)	правила уличного движения
12	(se) cogner, v. pron.	to bang	golpear(se)	χτυπάω με δύναμη κάπου, προσκρούω,	ударяться/удариться
1	coiffeur, n. m. (-euse), n. f.	hairdresser	peluquero(-a)	κομμωτής(τρια)	парикмахер(-ша)
6	coiffure, n. f.	hairstyle	peinado	χτένισμα	прическа
8	commencer, v. tr.	to start, to begin	empezar	αρχίζω	начинать/начать
7	compartiment (de train), n. m.	compartment (train)	compartimento (de tren)	κουπέ (διαμέρισμα) τρένου	купе (вагона)
10	complètement, adv.	completely	completamente	τελείως	вполне, полностью
7	composter, v. tr.	to punch, to stamp	validar	ακυρώνω (εισιτήριο μετρό, λεωφορείου)	компостировать
9	comprimé, n. m.	tablet	comprimido	χάπι	таблетка
5	condition (de travail), n. f.	(work) condition	condiciones de trabajo	συνθήκες (εργασίας)	условия (труда)
5	conduire, v. tr.	to drive	conducir	οδηγώ	водить машину
5	conduite, n. f.	driving	conducción	οδήγηση	поведение, управление (машиной)
3	confier, v. tr.	to confide	confiar	λέω μυστικό σε κάποιον, εμπιστεύομαι	доверять/доверить
2	confortable, adj.	comfortable	cómodo(-a)	άνετος(η, ο)	уютный(-ая), удобный(-ая)
12	coq, n. m.	rooster	gallo	κόκκορας	петух
9	consultation (médicale), n. f.	medical visit	consulta	επίσκεψη (ιατρική)	визит к врачу
5	content(e), adj.	happy	contento(-a)	ικανοποιημένος(η, ο), ευχαριστημένος(η, ο)	довольный(-ая)
9	contre, prép. et adv.	against	contra	εναντίον, κατά	против
7	contrôleur, n. m.	ticket inspector	revisor(-a)	ελεγχτής	контролёр, инспектор
12	costume (de théâtre), n. m.	costume (theatre)	vestuario	κουστούμι (θεάτρου)	театральный костюм
2	côte (rivage), n. f.	coast	costa	ακτή (παραλία)	берег
6	cou, n. m.	neck	cuello	λαιμός	шея
8	coucher de soleil, n. m.	sunset	puesta de sol	δύση ηλίου	закат солнца
7	couloir, n. m.	hallway	pasillo	διάδρομος	коридор
11	cour (d'un immeuble), n. f.	courtyard	patio	αυλή (πολυκατοικίας)	двор
9	courir, v. intr.	to run	correr	τρέχω	бежать, (у-)бегать
7	courses (achat), n.f.pl.	shopping	compras	ψώνια	покупки
6	court(e), adj.	short	corto(-a)	κοντός(ή, ό)	короткий(-ая)
1	cousin, n. m.	cousin (male)	primo	ξάδελφος	кузен
1	cousine, n. f.	cousin (female)	prima	ξαδέλφη	кузина
12	cratère, n. m.	crater	cráter	κρατήρας	кратер
3	crème solaire, n. f.	sun cream	crema para el sol	αντιηλιακή κρέμα	крем от солнца
3	croire, v. tr. et intr.	to believe	creer	πιστεύω	верить
11	cuisinière (fourneau), n. f.	stove	cocina	κουζίνα	кухонная плита
3	cuit(e), adj.	cooked, baked	cocido(-a)	ψημένος(η, ο)	варённый(-ая)

5	danger, n. m.	danger	peligro	κίνδυνος	опасность
5	dangereux (-euse), adj.	dangerous	peligroso(-a)	επικίνδυνος(η, ο)	опасный(-ая)
1	danseur, n. m. (-euse), n. f.	dancer	bailarín, bailarina	χορευτής(τρια)	танцор (танцовщица), балерина
10	debout, adv.	standing (up)	de pie	όρθιος	на ногах, стоя
12	(se) débrouiller, v. pron.	to manage	arreglárselas	τα καταφέρνω	выходить из затруднения, устраиваться
2	début, n. m.	beginning	principio	αρχή	начало
11	déception, n. f.	disappointment	decepción	απογοήτευση	разочарование
12	(se) décider, v. pron.	to decide	decidir(se)	αποφασίζω, παίρνω την απόφαση	решаться/решиться
2	décor, n. m.	set, scenery	decorado	ντεκόρ, διάκοσμος	украшение, декор
8	décorateur, n. m. (-trice), n. f.	set designer	decorador(-a)	ντεκορατέρ, ντεκορατρίς	декоратор
11	décoration, n. f.	decoration	decoración	διακόσμηση	декорирование
11	décorer, v. tr.	to decorate	decorar	διακοσμώ	украшать, декорировать
10	découper, v. tr.	to cut out	recortar	κόβω σε κομμάτια, τεμαχίζω	разрезать
7	(se) défendre, v. pron.	to defend (oneself)	defender(se)	αμύνομαι	защищать(-ся)
9	degré (Celsius), n. m.	degree	grado	βαθμός (Κελσίου)	градус (по Цельсию)
10	délirer, v. intr.	to be out of one's mind	delirar	παραληρώ, λέω τρελά πράγματα	бредить, дурачиться
7	demain, adv.	tomorrow	mañana	αύριο	завтра
3	demander, v. tr.	to ask	pedir	ρωτώ	просить, спросить
1	demi-frère, n. m.	half-brother	hermanastro	ετεροθαλής αδελφός	сводный брат
1	demi-sœur, n. f.	half-sister	hermanastra	ετεροθαλής αδελφή	сводная сестра
5	demi-tour, n.m.	u-turn	dar media vuelta	στροφή 180 μοιρών	пол-оборота
3	dentifrice, n. m.	toothpaste	pasta de dientes	οδοντόκρεμα	зубная паста
7	départ, n. m.	departure	salida	αναχώρηση	отъезд, уход
7	(se) dépêcher, v. pron.	to hurry (up)	dar(se) prisa	βιάζομαι	спешить
9	dernier (-ère), adj.	last, final	último(-a)	τελευταίος(α, ο)	последний(-яя)
7	désert(e), adj.	deserted, empty	desierto(-a)	έρημος(η, ο)	пустынный(-ая)
3	désolé(e), adj.	sorry	sentir(lo) mucho	λυπάμαι, συγγνώμη	извините, мне очень неудобно
10	dessin animé, n. m.	cartoon	dibujo animado	κινούμενα σκίτσα	мультфильм
1	détective, n. m.	detective	detective	ντέντεκτιβ	детектив
9	différent(e), adj.	different	diferente	διαφορετικός(ή, ό)	другой(-ая), разный(-ая)
8	difficile, adj.	difficult	difícil	δύσκολος(η, ο)	тяжёлый(-ая)
5	difficulté, n. f.	difficulty	dificultad	δυσκολία	трудность, затруднение
3	dire, v. tr.	to say, tell	decir	λέω	говорить/сказать
3	direct(e), adj.	direct	directo(-a)	άμεσος(η, ο), ευθύς(εία, ύ)	прямой(-ая)
9	disparaître, v. intr.	to disappear	desaparecer	εξαφανίζομαι	исчезать/исчезнуть
9	disque, n. m.	disk	disco	δίσκος	диск
2	distance, n. f.	distance	distancia	απόσταση	расстояние, дистанция
8	distribuer, v. tr.	to hand out	repartir	διανέμω	раздавать, распределять
10	divertissement, n. m.	entertainment	diversión	διασκέδαση	развлечение
1	divorcé(e), adj.	divorced	divorciado(-a)	διαζευγμένος(η, ο)	разведённый(-ая)
10	documentaire, n. m.	documentary	documental	ντοκιμαντέρ	документальный фильм
3	donner, v. tr.	to give	dar	δίνω	давать/дать
10	doucement, adv.	gently, softly	suavemente	απαλά, σιγά, γλυκά	тихо, медленно
4	doux (douce), adj.	soft	suave	απαλός(ή, ό), γλυκός(ιά, ό)	сладкий(-ая), мягкий(-ая)
12	dragon, n. m.	dragon	dragón	δράκος	дракон
11	drap, n. m.	sheet	sábana	σεντόνι	простыня
10	droit(e), adj.	straight	derecho(-a)	στητός(ή, ό)	правый(-ая), прямой(-ая)
4	dur(e), adj.	hard	duro(-a)	σκληρός(ή, ό)	твёрдый(-ая), жёсткий(-ая)
2	durée, n. f.	length, duration	duración	διάρκεια	продолжительность
2	durer, v. intr.	to last	durar	διαρκώ	длиться
12	dynamique, adj.	dynamic	dinámico(-a)	δυναμικός(ή, ό)	динамичный(-ая)

3	échelle, n. f.	ladder	escalera	σκάλα	приставная лестница
4	(s') échouer, v. pron.	to wash up, run aground	naufragar	εκβράζω, βγάζω στην ξηρά	сесть на мель
2	économique, adj.	economical	barato(-a)	οικονομικός(ή, ό)	хозяйственный(-ая), экономический(-ая)
2	église, n. f.	church	iglesia	εκκλησία	церковь
6	embellir, v. tr.	to make attractive	embellecer	ομορφαίνω	украшать/украсить

	Français	English	Español	Ελληνικά	Русский
7	émission, n. f.	program(me)	programa	εκπομπή	выпуск, эмиссия
11	emménager, v. intr.	to move in	instalar(se)	μεταφέρω και τοποθετώ το νοικοκυριό μου στο καινούργιο μου σπίτι	вселяться/вселиться
4	emmener, v. tr.	to take	llevar	παίρνω μαζί μου	уводить, увозить/увезти
8	emploi, n. m.	job	empleo	δουλειά, εργασία	использование, служба
12	(s') endormir, v. pron.	to go dormant, to fall asleep	dormir(se)	με παίρνει ο ύπνος	засыпать/заснуть
12	énergique, adj.	energetic	enérgico(-a)	δυναμικός	энергичный(-ая), решительный(-ая)
3	énerver, v. tr.	to irritate, annoy	poner(se) nervioso(-a)	εκνευρίζω	нервировать, раздражать
6	enfin, adv.	finally, well	por fin	επιτέλους	наконец
2	engin, n. m.	engine	aparato	μηχάνημα, συσκευή	устройство, орудие
6	enlaidir, v. tr.	to make ugly	afear	ασχημαίνω	(о-)безобразить
6	enlever (ôter), v. tr.	to take off	retirar	βγάζω (αφαιρώ)	снимать/снять
10	enregistrer, v. tr.	to record	grabar	καταγράφω (εκπομπή)	записывать/записать (на плёнку), регистрировать
11	ensemble, adv.	together	junto	μαζί	вместе
6	ensuite, adv.	next	a continuación, después	έπειτα	после, затем
1	(s') entendre, v. pron.	to get along	llevar(se) bien	τα πάω καλά με κάποιον, έχω καλή σχέση με κάποιον	хорошо понимать друг друга
11	entrée (d'un immeuble), n. f.	entrance (of a building)	entrada (de un edificio)	είσοδος (πολυκατοικίας)	вход (в дом)
8	entreprise, n. f.	firm, company	empresa	επιχείρηση	предприятие
10	envoyer, v. tr.	to send	enviar	στέλνω	послать/посылать
6	épais(se), adj.	thick	espeso(-a)	παχύς(ιά, ύ)	толстый(-ая), густой(-ая)
6	épaissir, v. tr.	to thicken	espesar	κάνω πιο παχύ	сгущать/сгустить
4	épave, n. f.	shipwreck	restos del barco	ναυάγιο	обломок кораблекрушения
4	éponge, n. f.	sponge	esponja	σφουγγάρι	мочалка
8	équipe, n. f.	team, crew	equipo	ομάδα	команда
11	escalade, n. f.	rock climbing	escalada	αναρρίχηση	восхождение
12	espérer, v. tr. et intr.	to hope (for)	esperar	ελπίζω	(по-)надеяться
7	essayer, v. tr.	to try	intentar	προσπαθώ	(по-)пробовать
11	étage, n. m.	shelf	piso	όροφος	этаж
2	été, n. m.	summer	verano	καλοκαίρι	лето
3	étoile filante, n. f.	shooting star	estrella fugaz	διάττοντας αστέρας	метеорит, звездопад
4	étoile de mer, n. f.	starfish	estrella de mar	αστερίας	морская звезда
6	étrange, adj.	strange, odd	extraño(-a), raro(-a)	παράξενος(η, ο) περίεργος(η, ο)	странный(-ая)
	étranger (-ère), adj.	foreigner, stranger	extranjero(-a)	ξένος(η, ο)	иностранный(-ая)
7	être à l'heure, loc. verb.	to be on time	ser puntual	είμαι στην ώρα μου	быть вовремя
5	être bien / mal dans sa peau, loc.	to feel good/bad about oneself	(no) sentir(se) a gusto consigo mismo(-a)	αισθάνομαι ωραία/άσχημα, είμαι ικανοποιημένος/δυσαρεστημένος από τον εαυτό μου	чувствовать себя уютно/неуютно (в жизни)
7	être en avance, loc. verb.	to be early	llegar con tiempo	έρχομαι νωρίτερα	приходить заранее
7	être en retard, loc. verb.	to be late	llegar tarde	έρχομαι καθυστερημένα	опаздывать
4	être en train de, loc. verb.	to be in the process of	estar + v. gerundio	κάνω κάτι αυτή τη στιγμή	быть на пути к, делать что-то
6	(s') évanouir, v. pron.	to pass out, faint	desmayar(se)	λιποθυμώ	падать/упасть в обморок
11	évier, n. m.	sink	fregadero	νεροχύτης	раковина
8	exactement, adv.	exactly	exactamente	ακριβώς	точно, точь-в-точь
12	excursion, n. f.	outing, excursion	excursión	εκδρομή	экскурсия
9	exister, v. intr.	to exist	existir	υπάρχω	существовать
3	expliquer, v. tr.	to explain	explicar	εξηγώ	объяснять(-ить)
7	extra, adj. inv.	terrific	adicional	σούπερ, υπέροχα, φανταστικά	экстра
10	extrait, n. m.	excerpt	extracto	απόσπασμα	вытяжка, выписка (из текста)
9	extraterrestre, n. m.	alien	extraterrestre	εξωγήινος(η, ο)	инопланетянин

F

5	fabuleux (-euse), adj.	fabulous	fenomenal, genial	καταπληκτικός(ή, ό), φανταστικός(ή, ό)	баснословный(-ая)
5	(se) fâcher, v. pron.	to get upset, fall out with	enfadar(se)	θυμώνω	сердить(-ся)
5	faire demi-tour, loc. verb.	to make a u-turn	dar la vuelta	κάνω στροφή 180 μοιρών	повернуть назад
7	faire des courses, loc. verb.	to do the shopping	hacer la compra	κάνω τα ψώνια μου	делать покупки
10	faire faire, loc. verb.	to have (something) done	pedir (a alguien) que haga algo	πείθω κάποιον να κάνει κάτι	заставить сделать что-то
3	falloir, v. imp. il faut...	to need, have to	hacer falta	πρέπει	надлежать, должно, надо
2	fantastique, adj.	fantastic	fantástico(-a)	φανταστικός(ή, ό)	фантастический(-ая)
10	fantôme, n. m.	ghost	fantasma	φάντασμα	привидение
6	fascinant(e), adj.	fascinating	fascinante	τραβάω τα βλέμματα, γοητευτικός(ή, ό)	чарующий(-ая)
6	fatigant(e), adj.	tiring	cansado(-a)	κουραστικός(ή, ό)	утомительный(-ая), изнуряющий(-ая)
6	fatigué(e), adj.	tired	cansado(-a)	κουρασμένος(η, ο)	усталый(-ая)
1	femme au foyer, n. f.	housewife	ama de casa	γυναίκα που δεν εργάζεται και ασχολείται με τα οικιακά	домохозяйка (жена, состоящая на содержании у мужа)
7	fenêtre, n. f.	window	ventana	παράθυρο	окно
2	ferme, n. f.	farm	granja	αγρόκτημα, φάρμα	ферма
3	féroce, adj.	fierce, savage	feroz	άγριος(α, ο)	хищный(-ая)
2	festival, n. m.	festival	festival	φεστιβάλ	фестиваль
3	fétiche, n. m.	fetish	fetiche	αγαπημένο αντικείμενο	идол, талисман
5	feu rouge, n. m.	red light	semáforo rojo	φανάρι (διάβασης πεζών)	светофор
4	feuille (d'arbre), n. f.	leaf	hoja	φύλλο (δέντρου)	лист (дерева)
5	fidèle, adj.	faithful	fiel	πιστός(ή, ό)	верный(-ая)
5	fier (fière), adj.	proud	orgulloso(-a)	περήφανος(η, ο)	гордый(-ая)
9	fièvre, n. f.	fever	fiebre	πυρετός	высокая температура
8	film, n. m.	film	película	έργο, φιλμ	кино
8	filmer, v. tr.	to film	filmar	φιλμάρω, τραβάω φιλμ	снимать кино
2	fin, n. f.	end	fin	τέλος	конец
6	finalement, adv.	finally, in the end	finalmente	τελικά	в конце концов
6	finir, v. tr.	to end	acabar	τελειώνω	кончать/закончить
4	fleur, n. f.	flower	flor	λουλούδι	цветок
2	fleuve, n. m.	river	río	ποταμός	река
1	footballeur, n. m. (-euse), n. f.	football (soccer) player	futbolista	ποδοσφαιριστή(-ρίστρια)	футболист(-ка)
2	forêt, n. f.	forest	bosque	δάσος	лес
9	forme, n. f.	form, shape	forma	τύπος	форма
5	formidable, adj.	fantastic, great	genial	καταπληκτικός(ή, ό)	потрясающий(-ая)
5	fort(e), adj.	good (at)	bueno(-a) en	δυνατός(ή, ό)	сильный(-ая)
9	fou (folle), adj.	crazy, mad	loco(-a)	τρελός(ή, ό)	безумный(-ая)
11	four à micro-ondes, n. m.	microwave oven	horno microondas	φούρνος μικροκυμάτων	микроволновка
4	fragile, adj.	fragile	frágil	εύθραστος(η, ο)	хрупкий(-ая)
1	frère, n. m.	brother	hermano	αδελφός	брат
6	frisé(e), adj.	very curly, frizzy	rizado(-a)	σγουρός(ή, ό)	вьющийся(-аяся)
6	front (visage), n. m.	forehead	frente	μέτωπο (προσώπου)	лоб
7	frontière, n. f.	border	frontera	σύνορο	граница
11	fruit, n. m.	fruit	fruta, fruto	φρούτο	фрукт

	French	English	Spanish	Greek	Russian
3	gadget, n. m.	gadget	chisme	γκάτζετ	занятная новинка, гаджет
4	galet, n. m.	pebble	piedra lisa	βότσαλο	галька
5	garagiste, n. m.	garage owner / mechanic	garajista	ιδιοκτήτης γκαράζ	владелец/работник гаража
7	gare, n. f.	station	estación	σταθμός τρένων	вокзал
5	(se) garer, v. pron.	to park	aparcar	παρκάρω	ставить машину
6	gauche, n. f.	left	izquierda	αριστερά	левый(-ая)
12	Gémeaux (signe du zodiaque), n. m. pl.	Gemini	Géminis	Δίδυμοι	созвездие Близнецов (знак зодиака)
5	généreux (-euse), adj.	generous	generoso(-a)	γενναιόδωρος(η, ο)	великодушный(-ая), щедрый(-ая)
5	gentil(le), adj.	nice	amable, bueno(a)	αξιαγάπητος(η, ο), ευχάριστος(η, ο)	любезный(-ая)
11	gîte, n. m.	cottage	albergue	αγροτόσπιτο που έχει υποστεί διαμόρφωση που το καθιστά κατάλληλο για ενοικίαση σε τουρίστες	место для ночлега, частная гостиница
11	gouffre, n. m.	abyss, chasm	abismo	γκρεμός, βάραθρο	пропасть
9	gouttes, n. f. pl.	drops	gotas	σταγόνες	капли
8	grâce à, loc. prép.	thanks to	gracias a	χάρη σε	благодаря
4	graine, n. f.	seed	semilla	σπόρος	семя
4	grand(e), adj.	big, tall	grande	ψηλός(ή, ό), μεγάλος(η, ο)	большой(-ая)
1	grand-mère, n. f.	grandmother	abuela	γιαγιά	бабушка
1	grand-père, n. m.	grandfather	abuelo	παππούς	дедушка
1	grands-parents, n. m. pl.	grandparents	abuelos	παππούδο-γιαγιάδες	бабушка с дедушкой
7	grave, adj.	serious	grave	σοβαρός(ή, ό)	серьёзный(-ая), озабоченный(-ая)
11	grimper, v. intr.	to climb	subir	σκαρφαλώνω	(вы-)карабкаться, влезать/влезть
9	guérir, v. tr.	to heal, get better	curar	θεραπεύω	выздоравливать/выздороветь

	French	English	Spanish	Greek	Russian
11	hall, n. m.	lobby	entrada	χολ	холл, вестибюль
10	hanté(e), adj.	haunted	encantado(-a)	στοιχειωμένος(η, ο)	преследуемый(-ая), посещаемый (-ая) (привидениями)
10	haut(e), à voix haute, loc.	out loud	alto(-a), en voz alta	δυνατός(ή, ό), δυνατά, με δυνατή φωνή	высокий(-ая), громко
8	héros, n. m.	hero	héroe	ήρωας	герой
5	heureux, (-euse), adj.	happy	feliz	ευτυχισμένος(η, ο)	счастливый(-ая)
1	hexagone, n. m.	hexagon	hexágono	εξάγωνο, μητροπολιτική Γαλλία	шестиугольник
7	hier, adv.	yesterday	ayer	χθές	вчера
2	hiver, n. m.	winter	invierno	χειμώνας	зима
7	hôpital, n. m.	hospital	hospital	νοσοκομείο	больница
8	horriblement, adv.	horribly	horriblemente	φρικτά	ужасно
9	hospitaliser, v. tr.	to hospitalize	hospitalizar	μπαίνω στο νοσοκομείο, νοσηλεύομαι	положить в больницу
2	hôtel de ville, n. m.	town hall	ayuntamiento	δημαρχείο	ратуша
4	humide, adj.	damp, wet	húmedo(-a)	υγρός(ή, ό)	влажный(-ая)
5	hygiène (de vie), n. f.	health habits	higiene de vida	υγιεινή	гигиена

	French	English	Spanish	Greek	Russian
4	ici, adv.	here	aquí	εδώ	здесь
1	illustrateur, n. m. (-trice), n. f.	illustrator	ilustrador(-a)	εικονογράφος	иллюстратор
11	immeuble, n. m.	building	edificio	πολυκατοικία	здание
12	impatient(e), adj.	impatient	impaciente	ανυπόμονος(η, ο)	нетерпеливый(-ая)
12	(s') impatienter, v. pron.	to get impatient	impacientar(se)	ανυπομονώ	терять терпение
6	important(e), adj.	big, important	importante	σημαντικός(ή, ό)	важный(-ая)
12	imprudent(e), adj.	careless	imprudente	απερίσκεπτος(η, ο)	неосторожный(-ая)
12	indécis(e), adj.	indecisive	indeciso(-a)	αναποφάσιστος(η, ο)	нерешительный(-ая)
1	infirmier, n. m. (-ière), n. f.	nurse	enfermero(-a)	νοσοκόμος(-μα)	медбрат (медсестра)
1	informaticien, n. m. (-ienne), n. f.	computer scientist	informático(-a)	πληροφορικός, μηχανικός πληροφορικής	программист(-ка)
10	information, n. f.	news	información	είδηση	информация
8	ingénieur du son, n. m.	sound engineer	ingeniero de sonido	ηχολήπτης	инженер по звуку
9	insomnie, n. f.	insomnia	insomnio	αϋπνία	безсоница
10	inspecter, v. tr.	to inspect	inspeccionar	επιθεωρώ	инспектировать
11	(s') installer, v. pron.	to settle, to move in	instalarse	εγκαθίσταμαι	устроить(-ся)
3	(s') intéresser, v. pron.	to be interested in	interesar(se)	ενδιαφέρομαι	заинтересовать(-ся)
5	interdit(e), adj.	forbidden	prohibido(-a)	απαγορευμένος(η, ο)	запрещенный(-ая)
11	inventaire, n. m.	inventory	inventario	απογραφή	инвентарь
12	inventif (-ive), adj.	inventive, resourceful	creativo(-a)	επινοητικός(ή, ό), εφευρετικός(ή, ό)	изобретательный(-ая)
9	invisible, adj.	invisible	invisible	αόρατος(η, ο)	невидимый(-ая)
11	invitation, n. f.	invitation	invitación	πρόσκληση	приглашение
8	inviter, v. tr.	to invite	invitar	προσκαλώ	приглашать/пригласить

	French	English	Spanish	Greek	Russian
5	jaloux (-ouse), adj.	jealous	celoso(-a), envidiosa(-a)	ζηλιάρης(α, ικο)	ревнивый(-ая), завистливый(-ая)
6	jeune, adj.	young	joven	νέος(α, ο)	молодой(-ая)
6	joue, n. f.	cheek	mejilla	μάγουλο	щека
10	journal, n. m.	newscast	periódico, diario	εφημερίδα	газета
4	journaliste, n. m. et f.	journalist	periodista	δημοσιογράφος	журналист(-ка)
12	joyeux (-euse), adj.	cheerful, joyful	alegre	χαρούμενος(η, ο)	веселый(-ая)
7	judo, n. m.	judo	yudo	τζούντο	дзюдо

	French	English	Spanish	Greek	Russian
7	karaté, n. m.	karate	karate	καράτε	каратэ
2	kayak, n. m.	kayak	kayak	καγιάκ	байдарка
2	kilo(gramme), n. m.	kilogram	kilo(gramo)	κιλό	килограмм
2	kilomètre, n. m.	kilometre	kilómetro	χιλιόμετρο	километр

	French	English	Spanish	Greek	Russian
4	là, adv.	there	ahí	εκεί	тут
4	là-bas, adv.	over there	allí	εκεί κάτω	там
10	laisser faire, loc. verb.	to let sb do	dejar a (alguien) que haga algo	επιτρέπω σε κάποιον να κάνει κάτι	позволить делать что-то, позволить действовать
12	lapin, n. m.	rabbit	conejo	κουνέλι	кролик
8	lavande, n. f.	lavender	lavanda	λεβάντα	лаванда
3	légende, n. f.	legend	leyenda	θρύλος	легенда
2	léger (-ère), adj.	light	ligero(-a)	ελαφρύς(ιά, ύ)	легкий(-ая)
11	légume, n. m.	vegetable	verdura	λαχανικό	овощ
10	lentement, adv.	slowly	lentamente	αργά	медленно
6	lèvre, n. f.	lip	labio	χείλη	губа
12	lion, n. m.	lion	león	λιοντάρι	лев
6	long (longue), adj.	long	largo(-a)	μακρύς(ιά, ύ)	длинный(-ая)
9	longtemps, adv.	a long time	mucho tiempo	για μεγάλο χρονικό διάστημα	долго, долгое время
6	look, n. m.	look	imagen	λουκ	имидж, внешний вид

	French	English	Spanish	Greek	Russian
11	louer (un appartement), *v. tr.*	to rent (an apartment/flat)	alquilar	νοικιάζω (διαμέρισμα)	снять (квартиру)
2	lourd(e), *adj.*	heavy	pesado(-a)	βαρύς(ιά, ύ)	тяжелый(-ая)
2	lumière, *n. f.*	light	luz	φως	свет, огни
9	lumineux (-euse), *adj.*	luminous	luminoso(-a)	φωτεινός(ή, ό)	ясный(-ая), светлый(-ая)
3	lunettes, *n. f. pl.*	glasses	gafas	γυαλιά	очки

M

	French	English	Spanish	Greek	Russian
11	machine à laver, *n. f.*	washing machine	lavadora	πλυντήριο ρούχων	стиральная машина
10	magazine, *n. m.*	magazine	revista	περιοδικό	магазин
10	magicien, *n. m.* (-ienne), *n. f.*	magician	mago(-a)	μάγος(μάγισσα)	волшебник(-ца)
2	magie, *n. f.*	magic	magia	μαγεία	волшебство
2	magique, *adj.*	magical	mágico(-a)	μαγικός(ή, ό)	волшебный(-ая)
2	magnifique, *adj.*	magnificent	magnifico(-a)	υπέροχος(η, ο)	прекрасный(-ая)
6	maigre, *adj.*	thin, skinny	flaco(-a)	αδύνατος(η, ο)	худой(-ая)
2	maintenant, *adv.*	now	ahora	τώρα	сейчас
9	(avoir) mal, *loc. verb.*	to hurt	doler	πονάω	больно (у меня болит…)
3	malade, *adj.*	sick, ill	enfermo(-a)	άρρωστος	больной(-ая)
9	maladie, *n. f.*	illness	enfermedad	αρρώστια	болезнь
3	malheur, *n. m.*	bad luck	desgracia	δυστυχία, γρουσουζιά	несчастье
8	malheureusement, *adv.*	unfortunately	desgraciadamente	δυστυχώς	к сожалению
8	manquer, *v. intr. et tr.*	to lack	faltar	λείπω	не хватать (чего-то, кого-то)
6	maquillage, *n. m.*	make-up	maquillaje	μακιγιάζ	макияж
1	marié(e), *adj.*	married	casado(-a)	παντρεμένος(η, ο)	новобрачный(-ая), женатый/замужняя
6	marionnette, *n. f.*	puppet	marioneta	μαριονέτα	марионетка
6	marque (de vêtement), *n. f.*	brand	marca	μάρκα	фирма (об одежде)
6	mascara, *n. m.*	mascara	máscara de pestañas, rímel	μάσκαρα	тушь для ресниц (маскара)
6	masque, *n. m.*	mask	máscara	μάσκα	маска
5	méchant(e), *adj.*	nasty, mean	malo(-a)	κακός(ιά, ό)	злой(-ая)
9	médecin, *n. m.*	doctor	médico(-a)	γιατρός	врач
3	médicament, *n. m.*	medicine, drug	medicamento	φάρμακο	лекарство
6	menton, *n. m.*	chin	barbilla	πηγούνι	подбородок
2	mer, *n. f.*	sea	mar	θάλασσα	море
1	mère, *n. f.*	mother	madre	μητέρα	мать
8	merveilleusement, *adv.*	wonderfully	maravillosamente	θαυμάσια, υπέροχα	удивительно
10	message, *n. m.*	message	mensaje	μήνυμα	сообщение, послание
2	mesurer, *v. tr.*	to measure	medir	μετρώ	измерять/измерить
9	métal, *n. m.*	metal	metal	μέταλλο	металл
8	métier, *n. m.*	job, occupation	oficio	επάγγελμα	профессия
2	mètre, *n. m.*	meter	metro	μέτρο	метр
11	mètre carré, *n. m.*	square meter	metro cuadrado	τετραγωνικό μέτρο	квадратный метр
8	metteur en scène, *n. m.*	director	director(-a)	σκηνοθέτης	режиссёр
7	mettre en fuite, *loc. verb.*	to send running, to put to flight	ahuyentar	κάνω κάποιον να το βάλει στα πόδια	заставить убегать
12	(se) mettre au travail, *loc. verb.*	to get down to work	ponerse a trabajar	ανασκουμπώνομαι	приступить к работе
8	mimosa, *n. m.*	mimosa	mimosa	μιμόζα	мимоза
2	minute, *n. f.*	minute	minuto	λεπτό	минута
3	miroir, *n. m.*	mirror	espejo	καθρέπτης	зеркало
8	mise en scène, *n. f.*	direction (staging)	puesta en escena	σκηνοθεσία	постановка
5	moche, *adj.*	ugly	feo(-a)	άσχημος(η, ο)	некрасивый(-ая)
12	modeste, *adj.*	modest	modesto(-a)	μετριόφρονων(ων, ον)	скромный(-ая)
3	montrer, *v. tr.*	to show	enseñar	δείχνω	показывать/показать
2	monument, *n. m.*	monument	monumento	μνημείο	памятник
3	(se) moquer, *v. pron.*	to make fun of	reír(se)	κοροϊδεύω	издеваться, насмехаться
10	mort(e), *adj.*	dead	muerto(-a)	νεκρός(ή, ό)	мёртвый(-ая)
2	moto, *n. f.*	motorbike	moto	μοτοσυκλέτα	мотоцикл
4	mou (molle), *adj.*	soft	blando(-a)	μαλακός(ή, ό)	мягкий(-ая), вялый(-ая)
3	mouchoir, *n. m.*	handkerchief	pañuelo	μαντίλι	носовой платок
10	mourir, *v. intr.*	to die	morir	πεθαίνω	умирать/умереть
6	moustache, *n. f.*	moustache	bigote	μουστάκι	усы
8	mouvement, *n. m.*	movement	movimiento	κίνηση	движение
2	moyen de transport, *n. m.*	means of transport	medio de transporte	μεταφορικό μέσο	вид транспорта
1	musicien, *n. m.* (-ienne), *n. f.*	musician	músico(-a)	μουσικός	музыкант(-ша)

N

	French	English	Spanish	Greek	Russian
4	naufragé, *n. m.*	castaway, shipwrecked	náufrago	ναυαγός	жертва кораблекрушения
7	naviguer, *v. intr.*	to sail	navegar	ταξιδεύω με σκάφος	плавать/плыть
5	nerveux (-euse), *adj.*	nervous	nervioso(-a)	νευρικός(ή, ό)	нервный(-ая)
8	nettoyer, *v. tr.*	to clean	limpiar	καθαρίζω	чистить, убирать/убрать
3	neuf (neuve), *adj.*	new	nuevo(-a)	καινούργιος(ια, ο)	новый(-ая)
1	neveu, *n. m.*	nephew	sobrino	ανηψιός	племянник
1	nièce, *n. f.*	niece	sobrina	ανηψιά	племянница
6	noircir, *v. tr.*	to blacken	ennegrecer	μαυρίζω	чернеть, темнеть
3	nombreux (-euse), *adj.*	numerous	numeroso(-a)	πολυάριθμος(η, ο)	многочисленный(-ая)
4	(se) noyer, *v. pron.*	to drown	ahogar(se)	πνίγομαι	(у-)тонуть
5	nul(le), *adj.*	useless, hopeless	desastre	άσχετος(η, ο)	никакой(-ая), ничтожный(-ая), безрезультатный(-ая)

O

	French	English	Spanish	Greek	Russian
3	objet, *n. m.*	object	objeto	αντικείμενο	предмет, объект
9	observer, *v. tr.*	to observe	observar	παρατηρώ	соблюдать, наблюдать
7	(s') occuper, *v. pron.*	to take care of	ocupar(se)	αναλαμβάνω,	заниматься/заняться
6	œil, *n. m.*	eye	ojo	μάτι	глаз
3	(s') offrir, *v. pron.*	to give, offer	invitar, proponer(se) ofrecer(se), ofrecer	προσφέρω στον εαυτό μου	разрешить/разрешать себе, (по-)дарить самому себе
1	oncle, *n. m.*	uncle	tío	θείος	дядя
12	optimiste, *adj.*	optimistic	optimista	αισιόδοξος(η, ο)	оптимистический(-ая)
1	organisateur, *n. m.* (-trice), *n. f.*	organiser	organizador(-a)	οργανωτής(τρια)	организатор(-ша)
11	organiser, *v. tr.*	to organise	organizar	οργανώνω	организовывать/организовать
6	original(e), *adj.*	original	original	πρωτότυπος(η, ο)	оригинальный(-ая)
7	oublier, *v. tr.*	to forget	olvidar	ξεχνώ	забывать/забыть
3	ouvrir, *v. tr.*	to open	abrir	ανοίγω	открывать/открыть
9	ovni, *n. m.*	UFO	OVNI	ούφο	неопознанный летающий объект

P

	French	English	Spanish	Greek	Russian
11	panne, *n. f.*	breakdown	avería	βλάβη	авария, повреждение
5	panneau de signalisation, *n. m.*	roadsign	señal de tráfico	πινακίδα κυκλοφορίας	сигнальный щит
7	pansement, *n. m.*	bandage	venda	επίδεσμος	повязка, перевязка
10	paraître, *v. intr.*	to seem	parecer	εμφανίζω	казаться
11	parapente, *n. m.*	paragliding	parapente	αλεξίπτωτο πλαγιάς, παραπέντε	параплан
3	parapluie, *n. m.*	umbrella	paraguas	ομπρέλα	зонт
9	pareil(le), *adj.*	same	igual	ίδιος(ια, ιο)	похожий(-ая)
1	parents, *n. m. pl.*	parents	padres	γονείς	родители
8	parfum, *n. m.*	perfume	perfume	άρωμα	запах, духи

	French	English	Spanish	Greek	Russian
11	parking, *n. m.*	parking lot	aparcamiento, parking	πάρκινγκ	автостоянка
3	parler, *v. tr. dir. et intr.*	to speak	hablar	μιλώ	говорить, разговаривать
3	partir, *v. intr.*	to leave	salir	φεύγω	уезжать/уехать, уходить/уйти
9	partout, *adv.*	everywhere	en todas partes	παντού	везде
5	passer, *v. intr. (et tr.)*	to take (a test)	examinar(se) de	κάνω (διακοπές)	проводить, пропустить, передавать/ передать
1	passion, *n. f.*	passion	pasión	πάθος	муки, страсть
11	pâté, *n. m.*	pâté	paté	πατέ	паштет
5	pauvre, *adj.*	poor	pobre	φτωχός(ή, ό)	бедный(-ая)
8	payer, *v. tr.*	to pay	pagar	πληρώνω	(за-)платить
5	paysage, *n. m.*	landscape	paisaje	τοπίο	пейзаж, ландшафт
5	peau, *n. f.*	skin	piel	δέρμα, πετσί	кожа
3	peigne, *n. m.*	comb	peine	χτένα	расчёска
3	peluche, *n. f.*	stuffed animal	peluche	χνουδωτό παιχνίδι	плюш
3	pénible, *adj.*	hard, tough	pesado(-a)	δυσάρεστος(η,ο), κουραστικός(ή, ό)	утомительный(-ая), тягостный(-ая)
8	penser, *v. intr.*	to think	pensar	σκέπτομαι	думать
1	père, *n. m.*	father	padre	πατέρας	отец
5	permis de conduire, *n. m.*	driver's license	permiso de conducir, carné de conducir	δίπλωμα οδήγησης	водительские права
6	perruque, *n. f.*	wig	peluca	περούκα	парик
2	peser, *v. tr. et intr.*	to weigh	pesar	ζυγίζω	взвешивать/взвесить
1	peste, *n. f.*	pest, nuisance	peste	πανούκλα, στριμμένο άτομο	чума
8	pétanque, *n. f.*	petanque, French boules	petanca	πετάνκ	петанк
4	petit(e), *adj.*	small, little	pequeño(-a)	μικρός(ή, ό)	маленький(-ая)
11	petite annonce, *n. f.*	classified ad	anuncio por palabras	μικρή αγγελία	объявление
1	petite-fille, *n. f.*	granddaughter	nieta	εγγονή	внучка
1	petit-fils, *n. m.*	grandson	nieto	εγγονός	внук
1	petits-enfants, *n. m. pl.*	grandchildren	nietos	εγγόνια	внуки
9	peut-être que, *loc.*	perhaps	puede que	μπορεί να	возможно, что
1	pharmacien, *n. m. (-ienne), n. f.*	pharmacist, chemist	farmacéutico(-a)	φαρμακοποιός	фармацевт, аптекарь(-ша)
1	photographe, *n. m. et f.*	photographer	fotógrafo(-a)	φωτογράφος	фотограф
11	pièce (d'une maison), *n. f.*	room	habitación	δωμάτιο (σπιτιού)	комната
12	pièce de théâtre, *n. f.*	play (theater)	obra de teatro	θεατρικό έργο	театральная пьеса
4	pierre, *n. f.*	stone	piedra	πέτρα	камень
1	pilote, *n. m.*	pilot	piloto	πιλότος	пилот
11	placard, *n. m.*	closet	armario	ντουλάπι	стенной шкаф
7	place, *n. f.*	square	plaza	θέση, πλατεία	место, площадь
2	plage, *n. f.*	beach	playa	πλαζ, παραλία	пляж
8	plan, *n. m.*	shot	plano	πλάνο (κινηματογραφικό)	план
9	planer, *v. intr.*	to hover, float	planear	πετώ, αιωρούμαι στον αέρα	парить
4	plastique, *n. m.*	plastic	plástico	πλαστικό	пластмасса
8	plateau (de tournage), *n. m.*	set (film set)	*set*	πλατό (γυρίσματος ταινίας)	съёмочная площадка
11	plein(e), *adj.*	full	lleno(-a)	γεμάτος(η, ο)	полный(-ая)
5	plein d'essence, *n. m.*	full tank	llenar el depósito	βάζω βενζίνη	полный бак (бензина)
4	plume, *n. f.*	feather	pluma	φτερό	перо
11	plusieurs, *adj. et pron.*	several	varios	πολλοί(ές, ά)	несколько, некоторые
2	poids, *n. m.*	weight	peso	βάρος	вес
4	pointu(e), *adj.*	sharp	puntiagudo(-a)	αιχμηρός(ή, ό), μυτερός(ή, ό)	острый(-ая), заостренный(-ая)
4	Poissons (signe du zodiaque), *m. pl.*	Pisces	Piscis	Ιχθείς	созвездие Рыб (знак зодиака)
1	policier, *n. m.*	police officer	policía	αστυνομικός	полицейский
2	polluant(e), *adj.*	polluting	contaminante	ρυπαντικός(ή, ό)	загрязняющий(-ая) (окружающую среду)
3	(téléphone) portable, *n. m.*	cell phone, mobile phone	teléfono móvil	κινητό (τηλέφωνο)	мобилка, мобильный телефон
3	porte-bonheur, *n. m.*	good luck charm	amuleto	γούρι	амулет
3	porte-clefs, *n. m.*	keychain	llavero	πορτκλέ	брелок
3	porter bonheur / malheur, *loc. verb.*	to bring good/bad luck	dar buena/mala suerte	γούρικο, φέρνει γούρι/ γρουσούζικο, φέρνει γρουσουζιά	приносить счастье/несчастье
11	poubelle, *n. f.*	garbage can	basura	σκουπιδοτενεκές	мусорный ящик
6	poudre, *n. f.*	powder	polvos	πούδρα	пудра
2	poule, *n. f.*	hen	gallina	κότα	курица
9	poumon, *n. m.*	lung	pulmón	πνεύμονας	лёгкое
9	pour, *prép.*	for	para	για	для
11	pousser (une porte), *v. tr.*	to push open (a door)	empujar	σπρώχνω (πόρτα)	толкать (дверь)
9	prairie, *n. f.*	prairie	pradera	λιβάδι	луг, лужайка
9	pratique, *adj.*	practical	práctico(-a)	πρακτικός(ή, ό)	практичный(-ая)
3	préparer, *v. tr.*	to prepare	preparar	προετοιμάζω	(при -)готовить
1	(se) présenter, *v. pron.*	to introduce (oneself)	presentar(se)	παρουσιάζω	представить(-ся)
6	prêt(e), *adj.*	ready	listo(-a)	έτοιμος(η, ο)	готовый(-ая)
1	prêter, *v. tr.*	to lend	prestar	δανείζω	одалживать/одолжить
2	printemps, *n. m.*	spring	primavera	άνοιξη	весна
9	prise de sang, *n. f.*	blood test	toma de sangre	πέρνω αίμα, αιμοληψία	анализ крови
8	prise de vues, *n. f.*	filming, shooting	toma de vistas	λήψη φωτογραφιών	съёмки
5	prix (récompense), *n. m.*	award, prize	premio	βραβείο	приз
2	prochain(e), *adj.*	next	próximo(-a)	επόμενος(η, ο)	следующий(-ая)
10	programme, *n. m.*	program	programa	πρόγραμμα	программа
7	promettre, *v. tr.*	to promise	prometer	υπόσχομαι	(по-)обещать
7	proposer, *v. tr.*	to propose, suggest	proponer	προτείνω	предлагать/предложить
2	promenade, *n. f.*	ride, walk	paseo	περίπατος, βόλτα	прогулка
11	propre, *adj.*	clean	limpio(-a)	καθαρός(ή, ό)	чистый(-ая)
11	proximité, *n. f.*	nearby	proximidad	εγγύτητα	близость
12	publicité, *n. f.*	publicity	publicidad	διαφήμιση	реклама
7	quai (de gare), *n. m.*	platform	andén (*pl.* andenes)	αποβάθρα (τρένου)	перрон (вокзала)
2	quartier, *n. m.*	district, neighbourhood	barrio	συνοικία	квартал
11	quelques-uns, *pron.*	some, a few	algunos	μερικοί(ές, ά), ορισμένοι(ες, α)	несколько
11	quinzaine, *n. f.*	about fifteen	quincena	δεκαπενταριά	около пятнадцати
3	raconter, *v. tr.*	to tell	contar	διηγούμαι	рассказывать/рассказать
9	radio (scopie), *n. f.*	radioscopy	radioscopia	ακτινογραφία	рентгеноскопия
6	raide (cheveux), *adj.*	straight (hair)	liso(-a)	ίσιο (μαλλί)	прямые (волосы)
6	rajeunir, *v. tr.*	to make younger	rejuvenecer	κάνω κάποιον να φαίνεται πιο νέος	(по-)молодеть
5	ralentir, *v. tr.*	to slow down	decelerar	καθυστερώ	замедлять/замедлить
2	rapide, *adj.*	fast	rápido(-a)	γρήγορος(η, ο)	быстрый(-ая)
12	rat, *n. m.*	rat	rata	αρουραίος	крыса
7	rater, *v. tr.*	to miss	fallar	χάνω (το τρένο)	не попасть, не удаться
8	réaliser, *v. tr.*	to fulfil	realizar	κάνω (ένα όνειρο) πραγματικότητα	реализовать, осуществлять/осуществить

	French	English	Spanish	Greek	Russian
8	recevoir, *v. tr.*	to receive	recibir	δέχομαι	получать/получить
11	réclamation, *n. f.*	complaint	reclamación	παράπονο	требование, рекламация
10	reconnaître, *v. tr.*	to recognize	reconocer	αναγνωρίζω	узнавать/узнать, признавать/признать
6	réfléchir, *v. intr.*	to reflect, think	reflexionar	εξετάζω, μελετώ	раздумывать/думать
11	réfrigérateur, *n. m.*	fridge	frigorífico, nevera	ψυγείο	холодильник
5	règle (de conduite), *n. f.*	rule (of conduct)	norma	κανόνας (οδήγησης)	правило (поведения)
5	relation, *n. f.*	relationship	relación	σχέση	связь
12	(se) relaxer, *v. pron.*	to relax	relajarse	χαλαρώνω	расслабляться/расслабиться
6	relooking, *n. m.*	make-over	cambio de imagen	relooking	релукинг
9	remarquer, *v. tr.*	to notice	notar	παρατηρώ	замечать/заметить
8	remporter, *v. tr.*	to win	ganar	κερδίζω	выигрывать/выиграть
8	rencontrer, *v. tr.*	to meet	conocer	συναντώ	встречать/встретить
1	rendre, *v. tr.*	to give back, return	devolver	επιστρέφω (κάτι σε κάποιον)	отдавать/отдать, возвращать/ возвратить
8	(se) rendre utile, *loc. verb.*	to make oneself useful	ser útil	γίνομαι χρήσιμος	быть, стать полезным
5	réparer, *v. tr.*	to repair, mend	reparar	επισκευάζω	(от-)ремонтировать
3	répondre, *v. intr.*	to answer, respond	responder	απαντώ	отвечать/ответить
10	reportage, *n. m.*	report	reportaje	ρεπορτάζ	репортаж
12	(se) reposer, *v. pron.*	to rest	descansar	ξεκουράζομαι	отдыхать/отдохнуть
7	réserver, *v. tr.*	to reserve	reservar	κάνω κράτηση	(за-)резервировать
8	responsabilité, *n. f.*	responsibility	responsabilidad	ευθύνη	ответственность
12	ressembler, *v. tr. ind.*	to resemble, look like	parecer	ομοιάζω	быть похожим, походить
5	restoroute, *n. m.*	roadside restaurant	restaurante	εστιατόριο στον αυτοκινητόδρομο	ресторан на автомагистрали
5	résultat, *n. m.*	result	resultado	αποτέλεσμα	результат
6	retouche (photo), *n. f.*	retouching	retoque fotográfico	ρετουσάρισμα	ретушёвка
7	retour, *n. m.*	return	vuelta	επιστροφή	возвращение
10	retourner, *v. intr.*	to return	volver	επιστρέφω	возвращаться/возвратиться
10	retrouver, *v. tr.*	to find (again)	descubrir	ξαναβρίσκω	находить, отыскать
6	réussir, *v. intr. et tr.*	to succeed	conseguir, aprobar	πετυχαίνω	удаваться, иметь успех
8	rêve, *n. m.*	dream	sueño	όνειρο	мечта, сон
10	rêver, *v. intr.*	to dream	soñar	ονειρεύομαι	мечтать, видеть сны
11	rez-de-chaussée, *n. m.*	ground floor	planta baja	ισόγειο	первый этаж
9	rhume, *n. m.*	cold	catarro	κρύωμα	насморк
9	ridicule, *adj.*	ridiculous	ridículo	γελοίος(α, ο)	смешной(-ая), нелепый(-ая)
6	rire, *v. intr.*	to laugh	reír	γέλιο	смеяться
10	rivière, *n. f.*	river	río	ποτάμι	речка
8	rôle, *n. m.*	role	papel	ρόλος	роль
2	roller, *n. m.*	roller skates	roller, patines en línea	ρόλερ	ролики
4	rond(e), *adj.*	round	redondo(-a)	στρογγυλός(ή, ό)	круглый(-ая), полный(-ая)
5	roue, *n. f.*	wheel	rueda	ρόδα	колесо

S

	French	English	Spanish	Greek	Russian
4	sable, *n. m.*	sand	arena	άμμος	песок
3	sac à dos, *n. m.*	backpack	mochila	σακίδιο	рюкзак
12	Sagittaire (signe du zodiaque), *n. m.*	Sagittarius	Sagitario	Τοξότης	созвездие Стрельца (знак зодиака)
2	saison, *n. f.*	season	estación del año	εποχή	сезон, время года
11	sale, *adj.*	dirty	sucio(-a)	βρώμικος(η, ο)	грязный(-ая)
7	salle d'attente, *n. f.*	waiting room	sala de espera	αίθουσα αναμονής	зал ожидания
11	salon, *n. m.*	living room	salón	σαλόνι	гостиная
3	savon, *n. m.*	soap	jabón	σαπούνι	мыло
8	scénario, *n. m.*	screenplay, script	guión	σενάριο	сценарий
8	scène, *n. f.*	scene	escena	σκηνή	сцена
10	science-fiction, *n. f.*	science fiction	ciencia-ficción	επιστημονική φαντασία	научная фантастика
2	scooter, *n. m.*	scooter	motocicleta	σκούτερ	скутер, мотороллер
12	Scorpion, (signe du zodiaque), *n. m.*	Scorpio	Escorpio	Σκορπιός	созвездие Скорпиона (знак зодиака)
4	sec (sèche), *adj.*	dry	seco(-a)	στεγνός(ή, ό)	сухой(-ая)
3	sèche-cheveux, *n. m.*	hair dryer, blow dryer	secador de pelo	πιστολάκι μαλλιών	фен
10	secret, *n. m.*	secret	secreto	μυστικό	секрет
10	sélection, *n. f.*	choice	selección	επιλογή	отбор
5	sens unique / interdit, *n. m.*	one way, wrong way	dirección única	μονόδρομος / απαγορεύεται	одностороннее движение/запрещенное направление
12	sensible, *adj.*	sensitive	sensible	ευαίσθητος(η, ο)	чувствительный(-ая)
11	sentir bon / mauvais, *loc. verb.*	to smell good/bad	oler bien / mal	μυρίζω ωραία / άσχημα	пахнуть хорошо/плохо
5	(se) sentir bien / mal, *loc. verb.*	to feel good/bad	(no) sentir(se) a gusto consigo mismo; encontrar(se) bien/mal	αισθάνομαι καλά / άσχημα	чувствовать себя хорошо/плохо
10	série, *n. f.*	series	serie	σειρά	серия
12	sérieux, (-euse), *adj.*	serious	serio(-a)	σοβαρός(ή, ό)	серьёзный(-ая)
12	serpent, *n. m.*	snake	serpiente	φίδι	змея
3	serviette de bain, *n. f.*	bath towel	toalla	πετσέτα μπάνιου	банное полотенце
3	shampoing, *n. m.*	shampoo	champú	σαμπουάν	шампунь
12	sincère, *adj.*	sincere	sincero(-a)	ειλικρινής(ής, ές)	искренний(-ая)
12	singe, *n. m.*	monkey	mono(-a)	πίθηκος	обезьяна
7	sinon, *conj.*	otherwise	sino	αλλιώτικα	если не
9	sirop, *n. m.*	syrup	jarabe	σιρόπι	сироп
2	skate-board, *n. m.*	skateboard	monopatín	σκέιτ μπορντ	скейт
12	sociable, *adj.*	sociable	sociable	κοινωνικός(ή, ό)	общительный(-ая)
1	sœur, *n. f.*	sister	hermana	αδελφή	сестра
4	solide, *adj.*	solid	sólido(-a)	στερεός(ά, ό)	твердый(-ая), крепкий(-ая)
4	sombre, *adj.*	dark	oscuro(-a)	σκοτεινός(ή, ό)	тёмный(-ая)
6	souple, *adj.*	flexible	flexible	σπαστό (μαλλί)	гибкий(-ая)
6	sourcil, *n. m.*	eyebrow	pestaña	φρύδι	бровь
6	sourire, *v. intr.*	smile	sonreír	χαμόγελο	улыбаться/улыбнуться
12	(se) souvenir, *v. pron.*	to remember	recordar, acordar(se)	θυμάμαι	вспоминать/вспомнить
6	souvent, *adv.*	often	a menudo	συχνά	часто
9	spécialiste, *n. m. et f.*	expert	especialista	ειδικός	специалист
2	spectacle, *n. m.*	show	espectáculo	θέαμα	спектакль
11	spéléologie, *n. f.*	caving	espeleología	σπηλαιολογία	спелеология
12	spontané(e), *adj.*	spontaneous	espontáneo	αυθόρμητος(η, ο)	спонтанный(-ая)
6	sportif (-ive), *adj.*	athletic	deportivo(-a)	αθλητικός(ή, ό)	спортивный(-ая)
8	stage, *n. m.*	internship	prácticas, contrato de prácticas	πρακτική άσκηση	стаж
6	star, *n. f.*	star	estrella, famoso(-a)	σταρ	звезда
5	station-service, *n. f.*	service station, gas station	gasolinera, estación de servicio	βενζινάδικο	автозаправочная станция
5	stationnement, *n. m.*	parking	aparcamiento	στάθμευση	стоянка
5	stop, *n. m.*	stop	stop, señal de stop	στοπ	стоп
5	stressé(e), *adj.*	stressed, tense	estresado(-a)	στρεσαρισμένος(η, ο)	нервный(-ая), в состоянии стресса
11	studio, *n. m.*	studio	estudio	γκαρσονιέρα	студия

	French	English	Spanish	Greek	Russian
6	sumo, n. m.	sumo	sumo	σούμο	сумо (сюмо)
3	superstitieux (-euse), adj.	superstitious	supersticioso(-a)	προληπτικός(ή, ό)	суеверный(-ая)
3	superstition, n. f.	superstition	superstición	πρόληψη	суеверие
10	surpris(e), adj.	surprised	sorprendido(-a)	έκπληκτος(η, ο)	застигнутый(-ая), изумлённый(-ая)
7	surprise, n. f.	surprise	sorpresa	έκπληξη	сюрприз, изумление
2	survoler, v. tr.	to fly over	sobrevolar	πετάω πάνω από	летать над
5	sympa(thique), adj.	nice	simpático(-a)	συμπαθητικός(ή, ό)	симпатичный(-ая)
7	taï-chi-chuan, n. m.	tai chi	tai-chi	τάι τζι σουάν	тайцзи-цюань
2	taille, n. f.	size	altura, tamaño	μέγεθος	рост, размер
12	(se) taire, v. pron.	to be silent, quiet	callar(se)	σιωπώ	(за-)молчать
5	talent, n. m.	talent	talento	ταλέντο	талант
1	tante, n. f.	aunt	tía	θεία	тётя
11	tarte, n. f.	tart	tarta, pastel	τάρτα	пирог
12	Taureau (signe du zodiaque), n. m.	Taurus	Tauro	Ταύρος	созвездие Тельца (знак зодиака)
10	télécharger, v. tr.	download	descargar	κατεβάζω (από το ίντερνετ)	загрузить
10	téléfilm, n. m.	telefilm	telefilme	τηλεταινία	телевизионный фильм
10	téléspectateur, n. m.	viewer (television)	telespectador(-a)	τηλεθεατής	телезритель
10	terrible, adj.	terrible, dreadful	terrible	τρομερός(ή, ό)	ужасный(-ая)
9	tester, v. tr.	to test	probar	δοκιμάζω	тестировать
9	tête, n. f.	head	cabeza	κεφάλι	голова
5	têtu(e), adj.	stubborn	tozudo(-a), cabezota	πεισματάρης(α, ρικο)	упрямый(-ая)
12	tigre, n. m.	tiger	tigre	τίγρης	тигр
10	tiroir, n. m.	drawer	cajón	συρτάρι	ящик
9	tissu, n. m.	fabric	tela	ύφασμα	ткань
12	tolérant(e), adj.	tolerant	tolerante	ανεκτικός(ή, ό)	толерантный(-ая), терпимый(-ая)
12	(se) tordre, v. pron.	to twist	torcer(se)	στραμπουλίζω	корчиться, извиваться
10	tour de magie, n. m.	magic trick	truco de magia	ταχυδακτυλουργία	фокус
8	tousser, v. intr.	to cough	toser	βήχω	кашлять
2	tout à coup, loc. adv.	suddenly	de repente	ξαφνικά	вдруг
12	tout à fait, loc. adv.	completely	totalmente	απολύτως, βεβαίως	конечно, обязательно
7	tout de suite, loc. adv.	right away	inmediatamente	αμέσως	сейчас же
12	tout le temps, loc. adv.	always	todo el tiempo	συνεχώς	все время, постоянно
9	toux, n. f.	cough	tos	βήχας	кашель
12	trac, n. m.	stage fright	miedo escénico, nervios	τρακ	страх перед выступлением
9	trace, n. f.	line	traza	ίχνος	трасса, след, очертание
2	train, n. m.	train	tren	τρένο	поезд
11	traîner, v. tr.	to pull, drag	arrastrar	σέρνω	тащить
10	tramway, n. m.	tramway, streetcar	tranvía	τραμ	трамвай
10	transformer, v. tr.	to transform	transformar	μετατρέπω	превращать/превратить
12	travailleur (-euse), adj.	hardworking	trabajador(-a)	εργαζόμενος(η, ο)	рабочий, работник(-ца)
3	trèfle, n. m.	clover	trébol	τριφύλλι	клевер
6	triste, adj.	sad	triste	στεναχωρημένος(η, ο), λυπημένος(η, ο)	грустный(-ая)
6	trousse (à maquillage), n. f.	make-up case	estuche	νεσεσέρ (μακιγιάζ)	косметичка
9	trouver, v. tr.	to find	encontrar	βρίσκω	находить/найти
9	tube, n. m.	tube	tubo	σωληνάριο	тюбик, труба
9	tuer, v. tr.	to kill	matar	σκοτώνω	убивать/убить
9	univers, n. m.	universe	universo	σύμπαν	вселенная
8	usine, n. f.	factory	fábrica	εργοστάσιο	завод
8	utile, adj.	useful	útil	χρήσιμος(η, ο)	полезный(-ая)
2	vacances, n. f. pl.	holiday, vacation	vacaciones	διακοπές	каникулы
2	vache, n. f.	cow	vaca	αγελάδα	корова
11	vaisselle, n. f.	dishes	vajilla	πιάτα, πιατικά	посуда
11	valise, n. f.	suitcase	maleta	βαλίτσα	чемодан
11	valoir, v. intr.	to be worth	valer	αξίζω	стоить
2	vélo, n. m.	bike	bicicleta	ποδήλατο	велосипед
9	vendre, v. tr.	to sell	vender	πουλώ	продавать/продать
4	venir de, loc. verb.	to have just (done something)	venir de	μόλις έκανα κάτι	приходить/прийти
9	ventre, n. m.	stomach	vientre	κοιλιά	живот
5	vérifier, v. tr.	to check	comprobar	ελέγχω, επιβεβαιώνω	проверять/проверить
9	verre, n. m.	glass	vidrio, cristal	γυαλί	стакан, стекло
12	Verseau (signe du zodiaque), n. m.	Aquarius	Acuario	Υδροχόος	созвездие Водолея (знак зодиака)
1	veuf, n. m. veuve, n. f.	widower, widow	viudo(-a)	χήρος(α)	вдовец, вдова
11	viande, n. f.	meat	carne	κρέας	мясо
11	vide, adj.	empty	vacío(-a)	κενός(ή, ό)	пустой(-ая)
11	vider, v. tr.	to empty (out)	vaciar	αδειάζω	опорожнять/опорожнить
6	vieillir, v. tr.	to grow old	envejecer	κάνω κάποιον να φαίνεται πιο γέρος, γερνάω	(по-)стареть
12	Vierge (signe du zodiaque), n. f.	Virgo	Virgo	Παρθένος	созвездие Девы (знак зодиака)
2	vieux (vieille), adj.	old	viejo(-a)	παλιός(ιά, ιό)	старый(-ая)
8	villa, n. f.	villa	villa	βίλα	вилла
11	vingtaine, n. f.	about twenty	veintena	εικοσαριά	около двадцати
6	visage, n. m.	face	rostro, cara	πρόσωπο	лицо
7	vite, adv.	fast	rápido	γρήγορα	быстро
2	vitesse, n. f.	speed	velocidad	ταχύτητα	скорость
7	voie (gare), n. f.	platform	vía	γραμμή τρένου	путь (железнодорожный)
9	(faire de la) voile, loc. verb.	to sail	navegar a vela	κάνω ιστιοπλοΐα	ходить (плавать) под парусом
9	voilier, n. m.	sailboat	velero	ιστιοφόρο	парусное судно
2	voiture, n. f.	car	coche	αυτοκίνητο	автомобиль
10	voix, n. f.	voice	voz	φωνή	голос
12	volcan, n. m.	volcano	volcán	ηφαίστειο	вулкан
2	voler (s'envoler), v. intr.	to fly (off)	volar	πετάω	летать (взлететь)
7	voler (dérober), v. tr.	to steal	robar	κλέβω	(у-)красть
7	voleur, n. m.	thief	ladrón	κλέφτης	вор
11	en vouloir à, loc. verb.	to have a grudge against	estar enfadado(-a) con	κρατώ κακία σε κάποιον	сердиться на кого-то
1	voyage, n. m.	trip	viaje	ταξίδι	путешествие
7	voyager, v. intr.	to travel	viajar	ταξιδεύω	путешествовать
1	vraiment, adv.	really	verdaderamente	στ' αλήθεια	поистине, правда
7	wagon, n. m.	carriage, car (train)	coche	βαγόνι	вагон
2	week-end, n. m.	weekend	fin de semana	σαββατοκύριακο	уикэнд
12	zodiaque, n. m.	zodiac	zodiaco	ζώδιο	зодиак
8	zoom, n. m.	zoom	zoom	ζουμ	объектив с переменным фокусным расстоянием

Tableau des contenus

Unité	Titre	Objectifs de communication	Vocabulaire
Unité 1	*Ma vie et ma famille*	Révisions : Saluer, se présenter, exprimer un sentiment, exprimer ses goûts, ses préférences, suggérer, refuser Parler du métier de ses proches	Famille – Métiers : *animateur, boulanger, coiffeur, danseur, détective, footballeur, illustrateur, infirmier, informaticien, journaliste, musicien, organisateur, pharmacien, photographe, pilote, policier...* – Adjectifs : *célibataire, divorcé, marié, veuf...* – Verbes : *prêter, rendre...*
Unité 2	*On y va !*	Exprimer la localisation (lieu, destination, provenance) Décrire la taille, l'altitude, la vitesse Exprimer la comparaison	Monuments – Campagne, saisons et paysages : *automne, bois, campagne, champ, climat, côte, été, ferme, fleuve, forêt, hiver, mer, paysage, plage, printemps, rivière, saison, vacances* – Moyens de transport – Mesures et divisions du temps – Verbes : *durer, mesurer, peser...*
Unité 3	*Qu'est-ce que j'emporte ?*	Faire une proposition Décrire un objet Décrire un lieu Décrire un événement	Objets personnels – Produits de toilette : *brosse à dents, crème solaire, dentifrice, peigne, savon, sèche-cheveux, serviette de bain, shampoing...* – Légendes et superstitions – Verbes : *attendre, confier, croire à, énerver, s'intéresser à, se moquer de, porter (bonheur, malheur), préparer...*
Unité 4	*Échoués sur la plage...*	Révision : Décrire une action en cours Dire ce qu'on vient de faire Dire qu'on déteste quelque chose Rapporter un propos, une question	Trouvés sur la plage : *algue, baleine, bois (mort), bouteille en plastique, coquillage, épave, éponge, étoile de mer, feuille, fleur, galet, graine, naufragé, pierre, plume, sable...* – Verbes : *aller (+ inf.), avoir horreur de, s'échouer, emmener, être en train de (+ inf.), se noyer, venir de (+ inf.)...*
Unité 5	*Bien dans ma peau ?*	Exprimer une certitude Exprimer le bien / le mal être Observer des instructions (signalisations) Répondre à une présentation	Transports et code de la route : *auto-école, automobiliste, conduite, danger, feu rouge, garagiste, panneau de signalisation, permis de conduire, plein d'essence, règle, restoroute, roller, roue, station-service...* – Vie sociale – Verbes : *s'arrêter, se casser, conduire, réparer...*
Unité 6	*Changer de « look » ?*	Décrire une personne Évoquer un événement habituel au passé Demander à quelqu'un de prêter qqch Conclure un récit	Visage, théâtre et maquillage : *acteur, apparence, artiste, bal masqué, brosse, cil, coiffure, cou, front, joue, lèvre, look, maquillage, marionnette, marque, mascara, masque, menton, moustache, perruque, poudre, relooking, retouche, sourcil, star, trousse, visage* – Verbes en *-ir...*
Unité 7	*On prend le train...*	Évoquer un événement ou une action au passé Exprimer une condition, une restriction Adresser un souhait	Gare et voyage en train : *arrivée, billet, compartiment, contrôleur, couloir, départ, fenêtre, frontière, gare, passeport, place, quai, salle d'attente, valise, voie, wagon...* – Sports – Verbes : *composter, décider, se dépêcher, oublier, rater, réserver...* – Adverbes : *après-demain, avant-hier...*
Unité 8	*On fera bientôt un stage !*	Exprimer une action au futur Mettre en relief un élément de la phrase Exprimer sa mauvaise humeur, se plaindre	Cinéma et théâtre : *cadrage, caméra, célébrité, décor, décorateur, équipe, ingénieur du son, metteur en scène, plateau, prise de vues, rôle, scénario, scène* – Stage et emploi – Verbes : *nettoyer, payer, réaliser, remporter, se rendre utile...* – Adverbes : *certainement, malheureusement, vraiment...*
Unité 9	*Seuls dans l'univers ?*	Exprimer une condition ou une hypothèse au futur – Indiquer à un professionnel de santé la nature d'un problème – Comprendre une notice de médicament	Maladies, douleurs et remèdes : *comprimé, consultation, coup de soleil, fièvre, gouttes, insomnie, médecin, médicament, poumon, prise de sang, rhume, sirop, toux, tube...* – Phénomènes – Matières : *aluminium, bois, métal, plastique, tissu, verre* – Verbes : *avoir mal, guérir, tousser...*
Unité 10	*À la télé*	Repérer des informations dans les médias Exprimer un conseil, une demande polie, un souhait, une supposition Exprimer un jugement dépréciatif	Médias et information : *chaîne, dessin animé, divertissement, documentaire, émission, extrait, film, journal, magazine, programme, reportage, science-fiction, sélection, série, téléfilm, téléspectateur* – Magie de scène – Verbes : *allumer, enregistrer, présenter, télécharger...*
Unité 11	*On s'installe*	Exprimer une compétence acquise Exprimer une capacité, une possibilité Exprimer une proposition Exprimer une possession	Habitat : *appartement, ascenseur, circulation, cour, entrée, étage, hall, immeuble, parking, pièce, proximité, rez-de-chaussée, studio* – Gîte et équipements : *aspirateur, balai, couverture, cuisinière, drap, évier, four à micro-ondes, machine à laver, placard, poubelle, réfrigérateur, vaisselle...*
Unité 12	*Tous en scène !*	Exprimer un accord ou un désaccord Exprimer un espoir Rassurer, féliciter Exprimer un point de vue	Signes du zodiaque : *Balance, Bélier, Cancer, Capricorne, Gémeaux, Lion, Poissons, Sagittaire, Scorpion, Taureau, Verseau, Vierge* – Signes du zodiaque chinois – Verbes : *s'angoisser, se brûler, se calmer, se cogner, se débrouiller, s'endormir, s'impatienter, se relaxer, se souvenir, se taire...*

Grammaire	Phonétique	Culture et civilisation	Thèmes, tâches et projets	Page
Les pronoms toniques Le conditionnel présent L'adjectif indéfini *tout, toute, tous, toutes* Les noms de métiers	Les sons [œ] et [ɛ]	Les noms de famille français Les Antilles françaises Introduction aux contes et nouvelles de Guy de Maupassant	Se présenter sur son blog : parler de soi, de ses loisirs, de sa famille, de ses passions Famille et métiers	2
Le degré de l'adjectif : le comparatif et le superlatif L'adjectif *vieux, vieil, vieille, vieux, vieilles* Les pronoms compléments de lieu *en* et *y*	Les liaisons	Les vacances scolaires en France Lille et les régions Nord-Pas-de-Calais et Picardie La « montgolfière »	Écrire un récit d'aventures Moyens de transports Voyages Présenter sa ville, sa région	10
Les pronoms personnels COI Les pronoms COI *en* et *y* Le pronom COD *en* Les pronoms relatifs *qui, que, où*	Les sons [w] et [ɥ]	Carcassonne et le Languedoc Roussillon Légendes, superstitions et porte-bonheur en France	Réaliser une enquête « Les objets fétiches » Les légendes et les superstitions Qu'emporter dans sa valise ?	18
Le passé récent, le présent continu, le futur proche Accord et place de l'adjectif (reprise) Le discours et l'interrogation indirects	L'accent de durée	Angoulême et le Festival de la BD Les régions Pays-de-la-Loire et Poitou-Charentes Debussy, Saint-Saëns et Ravel	Écrire un poème La mer et les objets échoués sur la plage La lecture : BD, magazines, livres ?	28
Constructions adjectivales *ce qui* et *ce que* dans l'interrogation indirecte *ce qui* et *ce que* dans la relative	L'accent d'insistance	Bourges et le Festival de musique Les régions Île-de-France et Centre Permis de conduire, « carte grise », « carte verte », etc. en France	Réaliser un sondage Être bien ou mal dans sa peau Les règles de conduite et la sécurité routière	36
Les verbes du 2e groupe en –*ir* : *choisir, finir, noircir, réussir*… L'imparfait Les pronoms démonstratifs	La graphie <ill> et les sons [l] et [j]	Lyon et la région Rhône-Alpes Des Lyonnais célèbres Le film *La Môme* sur Edith Piaf	Réaliser une interview Parties du visage et couleurs Le « look » : en changer ou pas ? Célébrités	44
Constructions verbales : verbes + préposition *de* Passé composé et imparfait *c'est … qui* – La conjonction *sinon*	Les sons [e] et [ɛ]	Nancy et les régions Alsace et Lorraine Des gares en France	Faire une réservation sur Internet Patrimoine mondial de l'humanité Trains, gares, horaires Les arts martiaux et la *self-defense*	54
Constructions verbales : verbes + préposition *à* Le futur simple Les adverbes en –*ment* *c'est … que / qu'*	La graphie <ent> prononcée ou non prononcée	Cannes et le Festival de cinéma La région Provence-Alpes-Côte d'Azur, ses couleurs et ses parfums Cézanne, Renoir, Braque et Derain	Écrire un scénario Cinéma et tournage d'un film Le stage de découverte en entreprise	62
Le futur simple : verbes en –*ir* ou –*re* et verbes irréguliers Conjonctions *si* + présent et *quand* + futur Les préfixes *en-, in-, re-*	L'accent grave et l'accent aigu	Rouen et « l'Armada » Les régions Bretagne et Normandie Le Mont-Saint-Michel	Écrire un article Maladies et médicaments Faits divers Les extraterrestres et les ovnis	70
Le verbe *connaître* Le conditionnel présent L'accord du participe passé L'emploi des verbes *laisser* et *faire* + infinitif	L'accent circonflexe	Dijon et les régions Bourgogne et Franche-Comté Des émissions de télévision	Présenter une émission Programmes de télévision Tours de magie (magie de scène) Lieux mystérieux et magiques	80
Les pronoms possessifs Les adjectifs et pronoms indéfinis Les verbes *pouvoir* et *savoir* Les valeurs de *on* – *si* + imparfait	L'écriture du son [sjɔ̃]	Toulouse et les régions Midi-Pyrénées et Aquitaine Petites annonces Gîtes et hôtels	Organiser une « fête des voisins » Habitat, mobilier, équipements Sports de montagne Décorer sa chambre	88
Les verbes pronominaux : au présent – à l'impératif – au futur proche – avec des verbes comme *adorer, aimer, détester* – au passé composé	Les enchaînements, liaisons et élisions	Avignon et le Festival de théâtre La Corse La chaine des Puys en Auvergne	Réaliser un quiz L'horoscope Révision et rebrassage des informations et des recherches	96

Crédits photographiques

5 ht d : Ph. © PHOTO12 / ALAMY – **5 m g :** Ph. © Hall / SUCRE SALE – **5 m m :** Ph. Imagine / FOTOLIA – **5 bas g :** Ph. © Veron / ANDIA PRESSE – **5 bas m :** Ph.© Ingolf Pompe / HEMIS – **5 m bd :** Ph. Claire Leguillochet / FOTOLIA – **5 bas d :** Ph. © Marc Dozier / HEMIS – **9 ht :** Ph.© Philippe Giraud / ICONVALLEY.COM – **9 ht m :** Ph. Philippe Surmely / FOTOLIA – **9 bas m et p 99mb :** Ph.© John Frumm / HEMIS – **9 bas :** Ph.© John Frum / HEMIS – **11 g :** Ph.© NORDMAG – **11 ht d :** Ph. Paul Losevsky / FOTOLIA – **11 bas g :** Ph. © YVON DELBECQUE – **11 basd et p 99 htg :** Ph. © Maurice Rougement / EYEDEA – **12 g :** Ph. © Collection Dagli Orti / THE PICTURE DESK – **12d et p 81md :** Ph. © Fabrice Coffrini /Epa/ CORBIS – **13 g :** BIS / Ph. Nadar - Coll. Archives Larbor – **13 d :** Ph. © Selva / LEEMAGE – **17 ht :** Ph. © C.Boisseaux / LA VIE- REA – **17 m :** Ph. © M. Libert / ASA PICTURES – **17 bas :** Ph. © Stephane Ouzounoff / PHOTONONSTOP – **19 ht g :** Ph. Jamalludin Din / FOTOLIA – **19 m ht :** Ph. © SONYcomputer France – **19 ht d :** Ph. LUSH / FOTOLIA – **19 m g :** Ph. © «Courtesy of Apple», chargement sur le site – **19 mm c :** Ph. © PHOTO12 / ALAMY – **19 mm f1 :** Ph. © Dagli Orti // THE PICTURE DESK – **19 mm f2 :** Ph. © Electa / AKG – **19 m d :** Ph.Begum Ozpinar / SHUTTERSTOCK – **19 bas g :** Ph. © PHOTO12 / ALAMY – **19 bas d :** Ph. © SAMSUNG – **20 g :** Ph. © PHOTO12 / ALAMY – **20 m et 99htd :** Ph. © Aucouturier / ANDIA PRESSE – **20 d :** Ph. © Blondel / ANDIA PRESSE – **25 ht :** Ph. © Forget Patrick / SAGAPHOTO.COM – **25 ht m :** Ph. Elena Elisseeva / SHUTTERSTOCK – **25 bas m :** Ph. © Yvon Lemanour / COLORISE – **25 bas :** Ph.Elena Elisseeva / SHUTTERSTOCK – **27 g :** Ph. © Michel Jolyot / REA – **27 d :** Ph. © ZIR / SIGNATURES – **29 g :** BIS / Ph. Jeanbor © Archives Larbor © Adagp, Paris ... – **29 m :** BIS / Ph. G. Tomsich © Archives Larbor – **29 d :** BIS / Ph. J.L. Charmet © Archives Larbor – **30 ht :** Ph. © Oliver Strewe / CORBIS – **30 bas :** Ph. ©JP. Lescouret / Explorer /EYEDEA – **30 bas d :** Ph. © Picture Finders / SUNSET – **31 ht :** © ZEP / Festival International de la Bande Dessinée Angoulême – **31 ht g :** © «Le jardin extraordinaire» Florence Cestac / TOUTENBD.COM – **31 m m :** © «La fille des remparts» Max Cabanes, / TOUTENBD.COM – **31 d :** Ph. © PHOTO12 / ALAMY – **35 ht :** Ph. © Lablatiniere / L' EQUIPE - PRESSE SPORT – **35 m :** Ph. Stevens Frederic / SIPA PRESS – **35 bas et p99bd :** Ph. © Alain Le Bot / PHOTONONSTOP – **39 ht g A et ht g D, hg I :** Ph. Imagine / FOTOLIA – **39 ht g C et hg G :** Ph. Coucashoot /FOTOLIA – **39 ht g E :** Ph. Onidji / FOTOLIA – **39 ht g F :** Ph. Nathalie / FOTOLIA – **39 ht g B F :** Ph. Frédéric Boutard / FOTOLIA – **39 ht g et J :** Ph. Pascal Martin / FOTOLIA – **39 ht d :** Ph. Andresr / SHUTTERSTOCK – **39 m m 2 :** Ph. © Patrick Allard / REA – **39 m d 5 :** Ph. © Marta Nascimento / REA – **39 bas g :** Ph.Philippe Devanne / FOTOLIA – **39 bas d :** Ph. © Sylva Villerot / REA – **43 ht :** Ph.© Michel Dussart / SUNSET – **43 ht m :** Ph. © Jean Marc Brunet / SUNSET – **43 bas m :** Ph. © France voyage – **43 bas :** Ph.© Jean-Yves Ruszniewski / PxP Gallery/ Chambre avec vues – **46 g :** Ph. Kurhan /SHUTTERSTOCK – **46 ht d :** Ph. © Frederic Soreau / PHOTONONSTOP – **46 m g :** Ph. © TSP / SEL AHMET / SIPA PRESS – **46 m m :** Ph. © Tsuni / Gamma / EYEDEA – **46 m d et p 81mbd :** Ph. © Legende / Tfi International / The Kobal Collection / THE PICTURE DESK – **46 bas :** Ph. d'après Jerome Dancette / FOTOLIA – **51 ht :** BIS / Ph. H. Josse © Archives Larbor – **51 ht m :** BIS / Ph. X.DR © Archives Larbor – **51 bas m :** BIS / Ph. Coll. Archives Larbor - DR – **51 bas :** Ph. © Adam Woolfitt / CORBIS – **54 bas m :** Ph © MARY PASCAL – **54 bas :** © Communauté urbaine du Grand Nancy – **56 ht :** Ph.© RECOURA CHRISTOPHE – **56 :** Ph. © RECOURA CHRISTOPHE – **57 ht g :** Ph. © Charles Dharapak / AP/ SIPA PRESS – **57 m ht et p81mmg :** Ph. © Eric Garault / PICTURETANK – **57 ht d :** Ph © Be&w / OREDIA – **57 bas g :** Ph. © Cynoclub / FOTOLIA – **57 m bas :** Ph. © Ludovic / REA – **57 m bd :** Ph. © Teo Lannie / MAXPPP – **57 ht d :** Ph.© Chevalier Virginie / OREDIA – **61 ht :** Ph.© Gérard Guittot / REA – **61 ht m :** Ph.© Frederic Maigrot / REA – **61 m bas :** Ph.© Wasaru – **61 bas :** Ph.© RECOURA CHRISTOPHE – **64 g :** Ph.© PHOTO12 / ALAMY – **64 ht :** Ph.© Jean- Pierre Amet / FEDEPHOTO – **64 ht m :** Ph.© Régis Hertfeld-Ville de Cannes – **64 bas m :** Ph.© Régis Hertfeld-Ville de Cannes – **64 bas g :** Ph.© Ange Lorente / ASA-Pictures – **64 m bas :** Ph. Daniel Sainthorant / FOTOLIA – **64 bas d :** Ph.© Christian Rycx / FOTOLIA – **69 ht :** Ph. © 2008, Digital image, The Museum of Modern Art, New York / Scala, Florence. – **69 ht m :** Ph.© BRIDGEMAN - GIRAUDON – **69 bas m :** Ph.© Philippe Migeat / CNAC / MNAM, dist. RMN © Adagp, Paris 2008 – **69 bas :** Ph.© BRIDGEMAN - GIRAUDON © Adagp, Paris 2008 – **72 ht :** Ph .© Patrick Koslo . Jupiter Images / AFP – **72 bas :** Ph. © Joe Baran / GETTY IMAGES France – **73 ht g :** Ph. © Bénard / ANDIA PRESSE – **73 m :** Ph. © Delangue / ANDIA PRESSE – **73 ht d :** Ph. © Lallemand / WALLIS – **73 bas :** Ovni 365 / Ph © AluBat – **77 ht :** Ph. © Roignant / ANDIA PRESSE – **77 ht m :** Ph. © Patrick Forget / SAGAPHOTO.com – **77 bas m :** Ph. © Hervé Hughes / HEMIS – **77 bas :** Ph. © Gérald Buthaud /ANA – **81 ht g :** © TF1 ENTREPRISES – **81 ht m :** © FRANCE TELEVISIONS DISTRIBUTION – **81 ht d :** © CANAL + – **81 m g :** Ph. © Gregory Magnicol / BSIP – **81 :** Ph. © CAROLINE Gautron / APERCU – **81 bas g :** Ph. © Leroux-TV / SIPA PRESS – **81 m bg :** Ph. © Lilo /SIPA PRESS – **81 bas d :** Ph. © Tschaen / SIPA PRESS – **83 g :** Ph. SHUTTERSTOCK – **83 ht d :** Ph. © CHATEAU DE MARGUERITE DE BOURGOGNE – **83 bas g :** Ph. Ekaterina Starshaya /SHUTTERSTOCK – **83 bas m et bd :** Ph. © «Bertran LOTTH Illusioniste» / MAGIEVASION PRODUCTIONS – **87 ht :** Ph. © S. Sautereau / URBA IMAGES/AIR IMAGES – **87 ht m :** Ph. © Sarramon-Cardinale /PHOTONONSTOP – **87 m bas :** Ph. © C.R.T.FRANCHE COMTE – **87 bas :** Ph. © Bruno Pambour /BIOSPHOTO – **89 :** Ph. Philip Lange / SHUTTERSTOCK – **90 g :** Ph. Radu Razvan / SHUTTERSTOCK – **90 m hd :** Ph. © Jean Philippe Arles / REA – **90 m g :** Ph. © Jacques Sierpinski / PxP Gallery / Chambre avec Vues – **90 d m m :** Ph. © THIVEL REMI – **90 d m m :** Ph. © Olivier Pierre / PYRENEES AVENTURES NOUVELLES / www.gites64.com – **90 bas d :** Ph. © Philippe Crochet / PHOTONONSTOP – **91 :** Ph . © Alix Lajouanie / Immeubles en fête / FEDERATION EUROPEENNE DES SOLIDARITES DE PROXIMITE – **95 ht :** Ph. © Thys / Supperdelux / SUCRE SALE – **95 ht m :** Ph.© Riou / SUCRE SALE – **95 bas m :** Ph.© Marielle / SUCRE SALE – **95 bas :** Ph. © Manceau / SUCRE SALE – **98 g :** Ph. Le Loft 1911 / SHUTTERSTOCK – **98 ht d :** Ph. © Bertrand Rieger / HEMIS – **98 bas g :** Ph. Guignard P. / URBA IMAGES/AIR IMAGES – **98 bas d :** Ph. © Joel Damase / PHOTONONSTOP – **103 ht :** Ph. © Benjamin RENOUT Benjamin / ENGUERAND/BERNAND – **103 ht m :** Ph. © Agathe Poupeney / FEDEPHOTO – **103 bas m :** Ph. © Pacome Poirier / CIT'IMAGES / CIT'EN SCENE – **103 bas :** Ph. © Jose Nicolas / FEDEPHOTO –

Édition : Virginie Poitrasson
Couverture : Didier Thirion/Graphir design
Maquette : Pierre Cavacuiti
Mise en page : Laure Gros
Illustrations : Thierry Beaudenon, Xavier Husson, Isabelle Rifaux
Recherche iconographique : Danièle Portaz
Cartographie (couverture intérieure) : Xavier Husson
N° d'éditeur : 10182931 - Octobre 2011
Imprimé en France par I.M.E - 25110 Baume-les-Dames